Roland Winterhaven lui barrait la route

"Un instant, Miss Peterson," fit-il d'un air impérieux. "J'ai bien peur qu'il n'y ait un regrettable malentendu."

Ses manières piquèrent Louise au vif. "Un malentendu?"

"Oui : il est impossible que vous veniez maintenant au château des Ormeaux, absolument impossible!"

"Comment?" fit Louise, ahurie.

"Je suis désolé. Lady Winterhaven a apparemment oublié qu'il y aura des ouvriers au château pendant les semaines à venir." Il la saisit par le bras avec une fausse gentillesse. "Je vais vous raccompagner chez vous. C'est le moins que je puisse faire pour vous dédommager!"

Louise n'en croyait pas ses oreilles. Une déception accablante la figeait sur place…

Harlequin Romantique

la grande aventure de l'amour

Un monde passionné
où règnent amour et aventure,
des personnages dont les sentiments
demeureront inoubliables.

La toile mystérieuse

par

CATHERINE SHAW

Harlequin Romantique

PARIS • MONTRÉAL • NEW YORK • TORONTO

Publié en octobre 1982

© 1982 Harlequin S.A. Traduit de *Château of Dreams,*
© 1981 Catherine Shaw. Tous droits réservés. Sauf pour des
citations dans une critique, il est interdit de reproduire ou
d'utiliser cet ouvrage sous quelque forme que ce soit, par des
moyens mécaniques, électroniques ou autres, connus
présentement ou qui seraient inventés à l'avenir, y compris la
xérographie, la photocopie et l'enregistrement, de même que
les systèmes d'informatique, sans la permission écrite de
l'éditeur, Editions Harlequin, 225 Duncan Mill Road, Don Mills,
Ontario, Canada M3B 3K9.

ISBN 0-373-41146-4

Dépôt légal 4e trimestre 1982
Bibliothèque nationale du Québec et Bibliothèque nationale
du Canada.

Imprimé au Canada—Printed in Canada

1

— Louise Peterson, vous avez besoin de vacances !

Edgar Benson posa tendrement ses mains sur les épaules de la jeune fille et plongea un regard inquiet dans ses yeux sombres. Ils avaient perdu leur éclat et des cernes les soulignaient. La bouche d'ordinaire rieuse exprimait de la lassitude.

Louise esquissa un petit geste d'impuissance.

— Je n'en ai pas les moyens. J'ai bien plus besoin d'une commande que de vacances.

Edgar se pencha et déposa un léger baiser sur son front.

— Epousez-moi et vous n'aurez plus de soucis.

Elle refusa tout net comme chaque fois qu'il émettait cette proposition.

Habitué à une telle réaction, Edgar n'était nullement décontenancé.

— Vous n'êtes pas raisonnable, Louise, déclara-t-il sur un ton doux. Les femmes ne peuvent pas se passer des hommes, pas plus que les hommes des femmes, d'ailleurs. A quoi bon penser à Paul toute votre vie ? Une carrière ne remplace l'...

Agacée, elle lui coupa vivement la parole :

— Oh, cessez de me faire la leçon !

— Vous êtes bien irritable aujourd'hui, soupira-t-il. Vous ne voulez pas me croire mais vous êtes épuisée.

Vous avez travaillé dur pour cette exposition et maintenant vous craignez qu'elle ne réponde pas à vos espoirs.
Ayez confiance, Louise, tout ira bien et vous recevrez
beaucoup de commandes. Ne vous tracassez plus !

Elle adressa un sourire d'excuse à son interlocuteur.

— Pardon. Si seulement je possédais votre assurance ! Mais je suis d'une nature anxieuse, je n'y peux
rien... et j'ai tellement envie de réussir !

Du regard, elle parcourut la galerie d'Edgar. Elle
était déserte pour l'instant mais bientôt, elle allait se
remplir d'invités pour le vernissage d'une exposition
consacrée à des portraitistes contemporains. Louise y
figurait en bonne place avec douze toiles.

Les enfants constituaient son sujet favori. Elle longea
à pas lents le mur où étaient accrochés ses tableaux, les
considérant d'un air apparemment détaché. En vérité,
son cœur battait à tout rompre. Ce jour-là marquait la
première grande chance de sa carrière.

Elle la devait à Edgar dont elle avait fait la connaissance lors de ses cours de dessin. Elle lui avait une fois
confié deux de ses portraits et il les avait vendus. Ne
voulant pas lui donner trop d'illusions, Edgar l'avait
tout de même mise en garde :

— C'est exceptionnel. Les gens achètent moins de
portraits que d'autres tableaux, sauf lorsqu'il s'agit
d'œuvres célèbres ou de portraits d'eux-mêmes. Puisque vous avez du talent, ma chère Louise, ce sont des
commandes qu'il vous faut.

— Et comment trouve-t-on des commandes ? avait-
elle demandé.

— Faites-moi confiance !

Elle lui avait fait confiance, aveuglément. Quittant
son emploi dans une agence de publicité, elle s'était
entièrement consacrée à la réalisation des douze
tableaux qu'il lui avait demandés pour son exposition
du printemps suivant. Cette exposition débutait à
présent, inspirant à Louise de vives inquiétudes. Elle ne
désirait pas le succès par orgueil. Elle souhaitait

simplement du fond du cœur parvenir à gagner sa vie en faisant ce qui lui plaisait le plus… de la peinture.

Edgar la tira en souriant de ses réflexions.

— Il est trop tard pour retoucher vos tableaux, plaisanta-t-il gentiment.

La prenant affectueusement par le bras, il ajouta :

— Je vous parie que vous décrocherez une commande dès ce soir. Vous allez voir, je n'ai pas invité n'importe qui !

— Vous êtes trop bon pour moi, répondit Louise.

Elle se sentait coupable. Comment pouvait-elle remercier Edgar de tant de bienveillance ? Sous le coup d'une soudaine impulsion, elle faillit annoncer qu'elle acceptait de l'épouser, mais Edgar s'éloigna d'elle à cet instant précis. Les premiers invités arrivaient.

Louise était perplexe. Peut-être devait-elle se marier avec Edgar ? Elle le connaissait depuis longtemps déjà… et ce n'était pas le souvenir de Paul qui la retenait, contrairement à ce qu'il prétendait. Il y avait déjà trois ans qu'il s'était tué en moto.

Non, honnêtement, l'ombre de Paul ne planait plus sur elle. Le choc et la souffrance s'étaient progressivement estompés, laissant seulement un sentiment de vide. Elle n'éprouvait plus d'amour pour Paul. En avait-elle même jamais éprouvé ? Elle n'en était plus sûre. En tout cas, Edgar ne pouvait pas combler le vide causé par sa disparition. Il ne lui inspirait que de l'amitié.

— Vous avez peur, lui avait-il lancé un jour.

Il avait sans doute raison. Elle appréhendait d'aimer et de souffrir à nouveau. Edgar serait certainement le meilleur des maris et elle finirait probablement par s'attacher profondément à lui mais… Elle ne put s'empêcher de sourire. Si elle se décidait à lui dire oui, il n'en croirait pas ses oreilles !

Les gens affluaient maintenant dans la galerie et, prise d'un brusque accès de timidité, Louise s'enfuit dans les lavabos. Elle s'étudia attentivement dans le grand miroir. La robe en soie gris perle qu'elle avait achetée pour l'occasion accentuait sa minceur. Encadré par des cheveux noirs qui lui arrivaient aux épaules, son visage lui parut bien pâle. Elle avait l'air fatiguée, Edgar ne l'inventait pas. Sortant sa trousse de maquillage de son sac à main, elle se poudra les joues et remit du rouge à lèvres. Voilà, elle semblait avoir bonne mine à présent.

Rassemblant son courage, elle retourna dans la galerie. A part deux autres exposants, elle ne connaissait personne. Edgar n'étant pas en vue, elle prit une coupe de champagne et se mêla à l'assistance en s'efforçant de paraître à l'aise. Elle rêvait pourtant de partir à toutes jambes chez elle et de se pelotonner dans un fauteuil avec un bon livre après avoir échangé sa robe contre un vieux jean et un pull-over. Autour d'elle, elle ne voyait que toilettes de grands couturiers et manteaux de fourrure. Elle se sentait complètement égarée dans ce milieu et s'étonnait d'avoir eu l'audace de se présenter en tant que portraitiste. Elle était moins que rien. Qui aurait l'idée de lui commander un tableau ? Il existait des dizaines et des dizaines d'artistes plus doués qu'elle.

Plus elle observait les invités, plus l'espoir l'abandonnait. Elle jugea d'ailleurs avec un certain désabusement qu'ils se pressaient davantage devant le buffet qu'autour des tableaux.

La voix d'Edgar résonna dans son esprit :

— Vous avez du talent, Louise. Il vous faut une ou deux commandes importantes pour démarrer et ensuite, le monde sera à vos pieds. Vous aurez plus de travail que vous ne pourrez en faire.

Comme elle avait été stupide de le croire, pensat-elle en cet instant.

Elle le repéra enfin à l'autre extrémité de la galerie. Comme il se trouvait en grande conversation avec un groupe de gens très élégants, elle n'osa pas le rejoindre. Elle préféra se diriger vers ses toiles. Elle avait peint des enfants d'après des croquis exécutés dans les trains, les autobus ou les jardins publics. Ses portraits lui semblèrent subitement d'une affreuse médiocrité. Elle se sentit mourir de honte. Il ne lui restait plus qu'à courir jusqu'à la première agence et à s'inscrire pour un nouvel emploi de dessinatrice publicitaire. Comment avait-elle pu s'imaginer qu'elle deviendrait un vrai peintre ?

Quatre personnes étaient en train d'examiner ses tableaux. Tout en le redoutant, Louise souhaitait entendre leurs commentaires. Une force irrésistible la poussa à s'approcher. Une femme blonde, assez belle et vêtue avec un raffinement remarquable, déclarait d'une voix distinguée à l'homme qui se tenait près d'elle :

— Je n'ai jamais vu de portraits d'enfants aussi délicieux. Et vous, Roland ? Ils sont tellement… vivants ! Quel est le nom de l'artiste ?

L'homme étudia son catalogue et annonça sur un ton plutôt las :

— Louise Peterson.

— Une femme ! J'aurais dû m'en douter. Seule une femme peut reproduire ainsi des enfants. Peut-être en a-t-elle ? En tout cas, elle les peint d'une façon exquise !

Elle se tourna vers son compagnon avec enthousiasme.

— N'êtes-vous pas d'accord avec moi, Roland ?

Il acquiesça mollement et commença à s'éloigner. Son regard dépassa la charmante blonde qui était sans doute son épouse et rencontra celui de Louise.

La jeune fille éprouva immédiatement un étrange sentiment, comme si elle connaissait très bien cet homme. Elle était pourtant absolument certaine de ne l'avoir jamais rencontré. Il n'était pas de ces êtres qu'on oublie lorsqu'on les a vus une fois. Grand, fort, avec des cheveux noirs rejetés en arrière pour dégager un front haut, il possédait des yeux gris extraordinairement perçants. Son allure altière attirait et intimidait à la fois.

Louise se détourna précipitamment et, ayant subitement l'impression d'étouffer dans cette atmosphère de ruche, elle gagna la sortie. Elle était à bout. Même les louanges qu'elle venait de surprendre ne suffisaient pas à lui redonner confiance en elle. Elle se glissa dans la rue et s'éloigna vite de la galerie. Arrivée à Picadilly, elle s'aperçut tout d'un coup qu'elle avait oublié son manteau, et l'absurdité de sa conduite lui sauta aux yeux.

Edgar allait être furieux. Que se passerait-il si quelqu'un — une femme blonde par exemple — demandait à parler à Louise Peterson ? Il était peut-être déjà trop tard. Prise dans le tumulte de la circulation comme une feuille dans les remous du vent, Louise hésitait au bord du trottoir. Non, il n'était pas question de retourner à la galerie, décida-t-elle soudain et elle s'engagea dans la bouche de métro la plus proche. Elle rentrait chez elle.

Une fois arrivée dans son minuscule appartement, elle se fit du café et se laissa tomber dans un fauteuil. Elle tremblait tant que la tasse cliquetait contre la soucoupe.

Quelle nervosité ! Peut-être lui fallait-il vraiment des vacances ? Quelques jours chez sa tante Carrie en Ecosse l'aideraient à remonter la pente. Ensuite, elle se mettrait à la recherche d'un emploi.

Réconfortée d'avoir trouvé une solution, elle se voyait déjà en promenade avec sa tante, respirant du bon air. La sonnerie du téléphone l'arracha à ses agréables rêveries. Elle sursauta comme une coupable. C'était sûrement Edgar.

Se sentant honteuse à présent, elle décrocha à contrecœur :

— Allô...

Une voix tonitruante retentit à l'autre bout du fil :

— Louise ! Renégate ! Traîtresse ! Pourquoi diable vous êtes-vous enfuie ?

Bien qu'elle crût défaillir, elle parvint à balbutier :

— Je suis désolée, Edgar... Je... Je ne sais pas vraiment pourquoi. J'étais terrifiée à l'idée que quelqu'un veuille me parler... ou que personne ne me demande... je ne sais plus...

— Vous êtes la reine des sottes !

— Oui, mais je suppose que cela n'a aucune importance, murmura Louise.

— Si, beaucoup ! s'écria Edgar avec des accents exaspérés.

— Pourtant, je suis sûre que personne ne...

— Si, justement ! répéta-t-il. Plusieurs invités ont voulu savoir si vous étiez là. C'est déjà un très beau résultat. Je vous ai expliqué qu'il ne fallait pas attendre davantage du vernissage. Il s'écoulera sans doute des semaines avant qu'on ne vous commande un portrait. Les gens n'achètent pas des tableaux comme des pommes de terre !

Louise ne voulait plus se bercer d'illusions.

— J'ai décidé de prendre les vacances que vous m'avez conseillées, annonça-t-elle. Je vais chez ma tante en Ecosse.

— Bonne idée ! Vos joues retrouveront leur couleur et vos yeux leur éclat. Quand partez-vous ?

— Il faut que je lui téléphone. Si elle est d'accord, je quitterai Londres dès demain ou après-demain.

— Très bien, approuva Edgar. Dites-moi, avez-vous déjà enlevé votre jolie robe ?

— N-non... répondit-elle.

— Tant mieux. J'avais peur que vous vous soyez empressée de remettre votre jean et votre pull-over. Je vous invite à dîner... rien que vous et moi, précisa-t-il, prévoyant qu'elle refuserait de se joindre à des étrangers.

Mais même dans ces conditions, Louise n'était pas tentée par la perspective de se rendre dans un restaurant. Elle avait envie de dormir. Elle prenait enfin pleinement conscience de la fatigue qu'elle avait accumulée.

— Edgar, je préfère ne pas sortir. Il est tard et...

— Je n'insiste pas, soupira-t-il. Reposez-vous bien et appelez-moi avant de quitter Londres.

Louise fut réveillée le matin suivant par la sonnerie du téléphone et elle découvrit avec horreur qu'il était presque onze heures.

— Allô... fit-elle d'une voix ensommeillée.

— Louise, j'ai une grande nouvelle pour vous ! annonça Edgar avec enthousiasme. Lady Winterhaven voudrait vous voir demain.

Un silence stupéfait accueillit ces paroles.

— Elle a quatre enfants, poursuivit Edgar, et elle ne jure plus que par vous. Elle désire que vous fassiez leurs portraits.

— Mais je pars en vacances, protesta faiblement Louise.

— Je le sais. J'ai essayé de raisonner Ambre, mais elle souhaite que vous commenciez tout de suite. Elle vous propose de combiner des vacances avec votre travail. Estimant que vous avez besoin de voir vivre ses enfants dans leur cadre quotidien, elle vous invite. Vous pourrez prendre tout votre temps pour les observer avant de les peindre et, qui plus est, votre prix sera le sien. Louise, c'est la chance de votre vie !

— Vous voulez dire qu'elle me propose de m'installer chez elle ? s'enquit la jeune fille, saisie d'appréhension.

Elle était pleinement réveillée à présent, mais trop surprise pour bien se représenter la situation.

— Exactement, ma chère, elle vous offre l'hospitalité dans sa demeure, en France.

— En France ! s'exclama Louise, ne pouvant réprimer une soudaine pointe d'intérêt.

— Oui, dans la vallée de la Loire. Je connais son château. Il est magnifique et vous y trouverez tout le calme dont vous avez besoin... Vous ne bondissez pas de joie ! ajouta Edgar sur un ton de reproche.

Louise passa la main dans sa chevelure sombre et soupira :

— Mais si, Edgar, je... je suis très contente... Et cependant, c'est si soudain... Je me voyais déjà chez ma tante en Ecosse... Je...

— Eh bien, adaptez-vous vite aux circonstances. Voici l'occasion de débuter votre carrière. Lady Winterhaven vous commande un portrait de chacun de ses enfants et un tableau les représentant tous les quatre ensemble. Elle m'a aussi laissé entendre qu'elle vous demanderait peut-être de peindre son défunt mari.

— Son défunt mari ? répéta Louise, un peu étonnée.

— D'après des photographies, évidemment, expliqua Edgar. Beaucoup plus âgé qu'Ambre, il l'a épousée en secondes noces. Vous aurez le loisir d'étudier l'histoire de la famille Winterhaven plus tard. Pour le moment, l'important est que vous rencontriez Ambre demain à dix heures. Elle réside actuellement chez sa mère : 3, Bellgrove Mansions, à Knightsbridge. Avez-vous noté ?

— Oui, murmura Louise, hésitante. C'est vraiment trop d'un seul coup.

— Pas du tout. Montrez-vous comme vous êtes, charmante et gracieuse, et tout se passera très bien. Vous partirez pour de merveilleuses vacances et vous reviendrez avec un gros chèque, et probablement de nombreuses recommandations pour de futurs clients. Ambre — Lady Winterhaven — est une personne délicieuse. Si elle vous apprécie, vous et votre travail, elle vous fera de la publicité, vous pouvez compter sur elle.

— J'ai l'impression de vivre un conte de fées, avoua Louise qu'une certaine euphorie gagnait peu à peu.

— C'en sera peut-être un, confirma Edgar. Alors, vous acceptez ?

— Oui...

Louise s'en voulait d'acquiescer aussi timidement.

N'était-ce pas après tout ce qu'elle avait si ardemment souhaité ?

— Louise, chuchota Edgar d'une voix cajoleuse, n'ayez pas peur. Lancez-vous ! Plongez ! Je vous jure que l'eau est bonne !

Elle éclata de rire. Edgar devinait vraiment bien la moindre de ses réactions. Elle mourait d'anxiété. L'occasion dont elle avait rêvé se présentait et, au lieu de sauter dessus, elle s'affolait. Elle ne pouvait rien contre sa nature… et pourtant si !

— Bon, j'accepte, annonça-t-elle d'une voix beaucoup plus ferme. Je serai au rendez-vous demain.

— Bravo, Louise ! s'exclama Edgar. Après avoir vu Lady Winterhaven, venez directement à la galerie. Nous déjeunerons ensemble pour fêter l'événement.

2

Le lendemain matin, Louise se leva tôt et passa plusieurs fois en revue sa modeste garde-robe. Que fallait-il mettre pour un rendez-vous aussi important ? Elle se décida finalement à grand-peine pour un ensemble en tweed qui était encore de saison par les températures basses de ce début de printemps.

Elle n'avait plus aussi mauvaise mine, constata-t-elle avec satisfaction en brossant sa chevelure soyeuse.

Rassurée à l'idée d'être présentable, elle se dirigea d'un pas énergique vers la station de métro. Un merle chantait dans le platane du square voisin et ses sifflements joyeux lui parurent de bon augure. Cette journée marquait un nouveau départ dans sa vie.

Son assurance la quitta toutefois lorsqu'elle arriva devant l'impressionnante façade de Bellgrove Mansions. Dans l'entrée, elle trouva la liste des appartements et sonna au numéro 3. Presque aussitôt, une femme lui demanda son identité par l'interphone, puis l'invita à monter. Un mécanisme déclencha l'ouverture de la porte et, en prenant une grande inspiration, Louise marcha jusqu'à l'ascenseur.

Une servante souriante l'accueillit au troisième étage et la conduisit dans un salon aux magnifiques meubles anciens.

— Lady Winterhaven vous prie de l'attendre quelques instants. Son bébé est malade, et le docteur vient d'arriver.

Louise murmura une formule de politesse. Elle se sentait complètement déplacée dans ce cadre somptueux et, si elle ne s'était pas rappelé les fermes encouragements d'Edgar, elle se serait peut-être enfuie comme la veille de la galerie.

Non, elle tiendrait bon cette fois. Elle devait à Edgar de se montrer courageuse. Après tout ce qu'il avait fait pour elle, il lui était interdit de laisser passer une occasion pareille.

Assise sur le bord d'une chaise recouverte de brocart, Louise serrait craintivement son sac à main contre elle. De temps en temps, elle repoussait d'un geste nerveux une mèche de cheveux derrière ses oreilles. Elle priait pour que Lady Winterhaven vînt vite, mettant fin à ce supplice de l'attente.

Tandis qu'elle examinait les tableaux accrochés aux murs, la porte s'ouvrit. Louise était sur le point de se lever, croyant qu'il s'agissait de son hôtesse, mais elle entendit rire un petit garçon. Quelqu'un lui commanda de se taire et il y eut une cascade de ricanements étouffés.

Apercevant des boucles blondes, Louise lança de sa voix la plus amicale :

— Entrez donc !

Il y eut un silence et la jeune fille supposa qu'elle avait effrayé les enfants. Pourtant, la porte s'ouvrit soudain complètement et deux filles et un garçon pénétrèrent dans la pièce. L'aînée, âgée d'une dizaine d'années, arborait une expression très sérieuse. Elle était suivie par un bambin de huit ans, brun comme elle, et par une adorable poupée de quatre ans environ, aux cheveux couleur de miel et à l'air angélique.

L'aînée s'avança vers Louise et déclara :

— Je vous prie d'excuser mon frère et ma sœur. Ils sont très impolis.

16

Prise de court, Louise ne répondit pas tout de suite et l'enfant poursuivit :

— Etes-vous Miss Peterson, la personne qui va nous peindre ?

La jeune fille hocha la tête. Presque solennellement, l'enfant lui tendit la main. Louise la prit et la serra avec la même gravité.

— En quelles couleurs allez-vous nous peindre ? s'enquit le garçonnet.

Un peu embarrassée, Louise hésita :

— Oh… J'utiliserai des couleurs différentes pour chacun, je suppose.

La cadette parut ravie.

— Pourrez-vous me peindre en bleu et jaune, s'il vous plaît ?

— Cela dépendra de ce que vous porterez. Il faudra demander à votre maman la permission de mettre une robe bleue ou une robe jaune. Comment vous appelez-vous ?

L'aînée se chargea de faire les présentations :

— Je m'appelle Selena, voici mon frère Simon et ma sœur Angela. Nous avons aussi une petite sœur, Melissa, qui est malade en ce moment. Maman est auprès d'elle avec le docteur.

Simon examinait depuis quelques instants Louise avec une intense curiosité.

— Venez-vous avec nous au château ? demanda-t-il.

— Mais oui, elle vient, glissa Selena.

Se hissant sur les genoux de Louise, Angela l'interrogea à son tour :

— Est-ce que vous jouerez avec nous ?

Dépassée par la situation, Louise balbutia :

— Oui… oui… peut-être…

Elle était captivée par ces petits visages et mourait d'envie de les fixer sur une toile.

— A quoi jouerons-nous ? lança Simon, visiblement intéressé.

— Qu'est-ce que vous aimez ? rétorqua Louise.

Tout en bavardant avéc ces enfants, elle se réjouissait déjà de les peindre. Cela promettait d'être passionnant. Elle avait craint de se trouver en présence de petits êtres trop gâtés, dénués de personnalité, et la réalité se révélait tout autre. Louise était tellement impatiente de se mettre au travail que ses craintes et sa timidité s'envolèrent.

— Jouons tout de suite, proposa Angela.

— Oh non… Votre maman va arriver, objecta-t-elle.

— Elle en a pour des heures ! assura Simon. Elle devient folle dès que Melissa est malade.

— Oui, on a le temps de jouer, appuya Angela.

Estimant qu'il était souhaitable de rester en bons termes avec des enfants dont la coopération lui serait très utile plus tard, Louise céda :

— A quoi voulez-vous jouer ?

Elle espéra qu'ils ne proposeraient rien de trop déraisonnable.

— A l'un de vos jeux, déclara Angela.

Louise resta muette. Il ne lui venait pas une seule idée à l'esprit. A quoi s'était-elle donc amusée pendant son enfance ?

Suspendus à ses lèvres, les enfants n'entendirent pas arriver leur mère. Louise perçut soudain une présence dans la pièce et bondit sur ses pieds. Une grande femme blonde venait vers elle en souriant, la main tendue. La jeune fille eut une impression de miracle en reconnaissant celle qui s'était extasiée l'avant-veille devant ses tableaux. L'homme qui l'accompagnait, songea-t-elle aussitôt par un curieux enchaînement de pensées, ne pouvait pas être son mari puisqu'elle était veuve.

— Miss Peterson, je suis enchantée de faire votre connaissance ! lança Lady Winterhaven avec chaleur. Je suis désolée de vous avoir fait attendre si longtemps. J'espère que ces petits monstres n'ont pas été trop insupportables. J'avais dit à Philippa de les empêcher de venir vous ennuyer.

Elle eut un petit rire charmant pour ajouter :

— Je ne voulais pas que vous soyez découragée à l'avance !

— Bonjour, Lady Winterhaven, fit Louise, retrouvant d'un seul coup sa timidité et ses appréhensions.

De toute évidence, cette femme ne l'avait pas remarquée dans la galerie. L'étudiant, Louise la jugea belle comme une porcelaine délicate avec sa blondeur, ses grands yeux d'un bleu-violet profond et sa sveltesse. Elle avait certainement trente ans et pourtant, elle n'en paraissait que vingt-cinq.

— Selena, Simon et Angela m'ont gentiment tenu compagnie, assura Louise.

— Nous allions jouer, glissa Angela avec une pointe de regret.

— Pauvre Miss Peterson ! s'exclama Lady Winterhaven en lui adressant une grimace pleine d'humour. Et maintenant, les enfants, laissez-nous. Nous devons discuter, Miss Peterson et moi.

Arrivée à la porte, Angela agita la main d'une manière touchante en direction de Louise.

— Ah, ces enfants ! lança Lady Winterhaven. Si j'avais su qu'il me faudrait les élever toute seule, j'aurais réfléchi avant d'en avoir quatre. Mais Peter rêvait d'une grande famille...

Ses yeux s'emplirent soudain de larmes. Affreusement embarrassée, Louise ne sut que dire. Elle se surprit à murmurer :

— Lady Winterhaven, je... je comprends ce que vous ressentez. J'ai perdu mon fiancé il y a trois ans...

Elle regretta immédiatement d'avoir prononcé ces paroles. Sa vie privée n'intéressait pas le moins du monde Lady Winterhaven, songea-t-elle. Par sa réaction, celle-ci prouva cependant le contraire :

— J'en étais sûre. Dès que j'ai vu vos tableaux, j'ai deviné que nous étions faites pour nous entendre.

Avec un sourire d'excuse, elle ajouta :

— Ne me jugez pas trop sévèrement. Je ne suis pas

faible, j'ai surmonté le choc de la mort de Peter mais parfois... j'éprouve un tel sentiment de vide.

— Je sais de quoi vous parlez, répondit Louise avec une grande simplicité.

Elles échangèrent un regard compréhensif et Louise sentit qu'elle avait gagné une amie.

Lady Winterhaven secoua sa mélancolie et déclara :

— Si nous en venions à notre affaire ? Edgar... M. Benson m'a dit beaucoup de bien de vous et comme Peter m'a toujours vanté la valeur de son jugement, je me fie à lui. D'ailleurs, j'ai eu l'occasion de voir moi-même quelques-uns de vos tableaux, et mon opinion rejoint celle de M. Benson. Puisque vous êtes là, je suppose que vous acceptez de travailler pour moi.

Elle éclata d'un rire léger.

— A moins que la découverte de mes petits démons ne vous ait fait peur ?

— Non, pas du tout, assura Louise. Vous avez des enfants charmants. Mon plus cher désir est de les peindre.

— Il y a aussi Melissa, expliqua Lady Winterhaven. La pauvre chérie est malade aujourd'hui, mais le docteur me promet que ce n'est pas grave. Je m'affole trop, tout le monde me le dit. Et pourtant, ma chère Melissa ! Je ne peux pas m'empêcher de m'inquiéter pour elle. Peter ne l'a pas connue, hélas...

Coupant court à un nouvel accès de tristesse, Louise s'empressa de demander :

— N'avez-vous pas aussi parlé à Edgar d'un portrait de votre mari ?

— En effet, confirma Lady Winterhaven. Il va être exposé dans notre village. De son vivant, il ne l'aurait jamais voulu. D'ailleurs, j'ai refusé qu'on érige une statue à sa mémoire sur la place. Peter était bien trop modeste. Il refusait toujours de raconter les exploits qu'il a accomplis pendant la guerre. J'ai simplement accepté qu'on accroche son portrait dans la mairie.

Soudain pleine de confiance, Louise affirma avec une vivacité toute neuve pour elle :

— Je serais flattée d'être l'auteur de ce tableau.

Une servante entra avec du thé et de délicieux petits gâteaux. Tout en prenant sa tasse, Lady Winterhaven annonça :

— Je retourne en France après-demain. Vous serait-il possible de vous joindre à nous ?

Cette proposition stupéfia Louise. Lady Winterhaven avait-elle des raisons pour se montrer si pressée, ou était-elle seulement très impulsive ? Son expression inspira soudain de vagues soupçons à la jeune fille, mais elle chassa vite cette méfiance insensée.

— C'est un peu rapide, expliqua-t-elle. Il me faut quelques jours pour... mon appartement... mon courrier... J'ai toutes sortes de détails à régler.

— Oui, oui, bien sûr, accorda Lady Winterhaven, l'air assez déçu. Alors quand pouvez-vous venir ? Je vous réserverai une place d'avion et...

— Non... je vous remercie... coupa Louise, prenant sa décision dans l'instant. Je viendrai en voiture. Cela ne prendra pas beaucoup plus de temps et je pourrai emporter plus d'affaires.

— C'est une excellente idée. Ainsi, vous profiterez aussi de la région. Il y a de merveilleuses promenades à faire. N'oubliez pas que je vous offre par la même occasion des vacances. Il n'y a rien d'urgent et pour commencer, vous vous reposerez. Le portrait de Peter ne doit être prêt qu'en septembre, lorsque sortira sa biographie.

Dans ces conditions, Louise comprenait encore moins la précipitation de son interlocutrice.

— J'aurai terminé ma tâche depuis longtemps, affirma-t-elle.

Lady Winterhaven se leva et se dirigea vers un bureau en murmurant :

— Je suis sûre que ma mère a... oui, voilà.

Elle revint vers Louise avec une carte.

— Je vais vous montrer où se trouve le château des Ormeaux.

Les deux femmes étudièrent l'itinéraire pendant un bref moment, puis Lady Winterhaven déclara :

— Je crois que c'est tout. A moins que vous n'ayez encore des questions à me poser ?

— Non, répondit Louise.

Le sujet de son cachet n'avait pas été abordé, mais elle répugnait à parler d'argent la première.

Lady Winterhaven lui sourit.

— Vous vous prénommez Louise, n'est-ce pas ? Me permettrez-vous de vous appeler ainsi ? De mon côté, je préfère Ambre à Lady Winterhaven. J'ai horreur des cérémonies, surtout avec les gens que je considère comme des amis.

Elle paraissait si sincère que Louise fut touchée. Elle prit pour un compliment cette déclaration d'une femme qui la connaissait à peine.

A ce moment, la porte s'ouvrit pour laisser entrer une jeune fille brune d'allure sportive.

— Excusez-moi, Lady Winterhaven, mais pourriez-vous venir un instant ? Melissa s'est remise à pleurer et aujourd'hui, il semble que vous soyez la seule à savoir la calmer.

Ambre Winterhaven bondit sur ses pieds, son joli visage assombri par l'inquiétude.

— Bien, Philippa, je viens tout de suite.

Elle se tourna vers Louise et déclara rapidement :

— Je vous demande pardon, je vais vous laisser seule encore quelques minutes. Prenez donc une autre tasse de thé. Je n'en aurai pas pour longtemps.

Elle s'immobilisa au bout de deux pas, comme frappée par la foudre.

— Mon Dieu, nous n'avons pas parlé de votre cachet ! Je reviens tout de suite.

Sur ces paroles, elle disparut avec la nurse et, après s'être reversé du thé, Louise reprit sa place. Le temps passa. Pour s'occuper, elle examina de nouveau la carte de la vallée de la Loire et elle la repliait juste quand la porte s'ouvrit.

Relevant la tête, elle fut surprise de découvrir le grand homme aux cheveux noirs qu'elle avait vu avec Ambre Winterhaven à la galerie. Il parut tout aussi étonné de la trouver là. Leurs regards se croisèrent longuement et, sentant l'admiration non déguisée de l'arrivant, Louise éprouva un vif embarras. Son cœur s'affola d'une manière étrange.

Très décontracté, l'homme entra dans la pièce et déclara sans détacher ses yeux d'elle :

— J'aurais dû frapper, mais j'ignorais qu'il y avait quelqu'un.

— J'attends Lady Winterhaven, expliqua Louise. Elle est allée s'occuper de son bébé. Elle ne va pas tarder à revenir.

En dépit de ses efforts, la jeune fille n'avait pas réussi à maîtriser les tremblements de sa voix.

Son interlocuteur se tenait près d'elle, l'immobilisant sous son regard appréciateur.

— Et qui ai-je l'honneur de rencontrer ? Je suis Roland Winterhaven.

La main de Louise se perdit entre des doigts chauds et fermes, et son cœur battit encore plus vite.

— Louise Peterson.

L'homme changea instantanément d'expression.

— Louise Peterson !

Il lâcha aussitôt sa main.

— Le peintre !

Louise hocha la tête et, comme elle était déconcertée par cette réaction presque hostile, elle balbutia :

— D'ailleurs, il est inutile que je dérange Lady Winterhaven plus longtemps. Je vais partir. Puis-je vous prier de lui dire que…

Elle se leva, mais Roland Winterhaven ne bougea pas plus qu'il ne lui répondit. Il lui barrait tout simplement la route.

Ne voyant aucun inconvénient à discuter des questions matérielles plus tard, Louise tenait à s'en aller. Elle répugnait d'ailleurs d'instinct à parler d'argent devant cet homme.

— Lady Winterhaven a mon numéro de téléphone au cas où... poursuivit-elle le plus nettement possible.

Alors qu'elle esquissait un pas en avant, son interlocuteur l'arrêta.

— Un instant, Miss Peterson, fit-il d'un air impérieux. Peut-être pourriez-vous m'expliquer de quoi il s'agit ?

Ses manières piquèrent Louise au vif. En outre, elle se refusait à le mettre au courant d'une affaire qui ne le concernait pas. Pendant qu'elle réfléchissait, le mécontentement se peignait d'une façon de plus en plus évidente sur le visage de Roland Winterhaven.

Finalement, il se décida à formuler ses pensées. Son intonation était aussi glaciale que son regard.

— J'ai bien peur, Miss Peterson, qu'il n'y ait un regrettable malentendu.

— Un malentendu ? fit-elle dans un souffle.

— Il est impossible que vous veniez maintenant au château des Ormeaux, absolument impossible.

Il la saisit par le bras avec une fausse gentillesse et ajouta :

— Je suis désolé. Lady Winterhaven a apparemment oublié qu'il y aura des ouvriers au château pendant les semaines à venir. D'ailleurs, elle-même reste en Angleterre durant la période des travaux.

— Elle m'a dit qu'elle partait après-demain ! protesta Louise, retrouvant l'usage de sa voix.

— C'est bien ce que je pensais, elle a oublié.

Tenant toujours Louise par le bras, Roland Winterhaven entreprit de la guider vers la porte.

— Où habitez-vous ? lui demanda-t-il soudain.

Louise lui répondit par réflexe.

— Bon, je vais vous raccompagner chez vous. C'est le moins que je puisse faire pour vous dédommager d'avoir perdu votre temps.

La jeune fille n'en croyait pas ses oreilles. Une déception accablante s'abattit sur elle. Comment Lady Winterhaven avait-elle pu se montrer si distraite ? Un tel oubli était presque impensable.

— Je... je voudrais voir Lady Winterhaven avant de partir, balbutia Louise.

Ah, si seulement Ambre était revenue à cet instant ! Si elles avaient pu se mettre d'accord sur de nouvelles dates !

Hélas, Lady Winterhaven restait toujours invisible et Roland déclara sur un ton sans réplique :

— Si elle est avec son bébé, elle vous a sans doute oubliée, vous aussi. Je me charge de tout lui expliquer. Il n'est pas nécessaire que vous attendiez davantage. Elle reprendra peut-être contact avec vous plus tard.

Il décocha à sa compagne un sourire rassurant.

— Elle est très desireuse d'avoir des portraits de ses enfants.

Avec une politesse qui dissimulait à peine une indiscutable brusquerie, Roland Winterhaven entraînait Louise vers la sortie de l'appartement. Manquant d'audace, la jeune fille n'osait pas résister. Elle sentait qu'il la manipulait comme un pantin, mais elle ne trouvait pas le courage de se défendre.

— Ma voiture est garée devant l'immeuble, annonça-t-il.

Jusqu'à la porte, Louise espéra croiser Ambre Winterhaven. En vain. Les lointains gémissements d'un bébé lui indiquèrent qu'elle était toujours très occupée.

Elle éprouva un sentiment de rancune à l'égard de l'homme qui ne lâchait pas son bras. Il s'employait bel et bien à l'éloigner de cet appartement le plus vite possible. Certes, Louise avait parlé la première de partir, mais à présent, il ne lui laissait plus le choix. Elle se rappela soudain qu'elle devait rejoindre Edgar pour déjeuner avec lui.

— Je ne rentre pas directement chez moi, déclara-t-elle. J'ai un rendez-vous et c'est direct d'ici en métro. Ne prenez pas la peine de me raccompagner.

— Je vous emmène où vous voudrez, affirma Roland Winterhaven avec détermination.

Il poussait déjà la jeune fille dans l'ascenseur. Pourquoi avait-il aussi hâte de la voir hors de ces lieux ?

— C'est inutile, objecta froidement Louise. Nous allons être pris dans des embouteillages à cette heure.

— Si, si, je vous emmène, c'est le moins que je puisse faire, étant donné les circonstances.

En bas, Louise répéta à Roland Winterhaven qu'il n'avait pas besoin de la reconduire. Cette fois, il haussa les épaules.

— Très bien, puisque vous insistez. Je vous prie d'accepter mes sincères excuses, Miss Peterson. Je suis enchanté d'avoir fait votre connaissance et j'espère que nous nous reverrons. Je serais navré si l'oubli de Lady Winterhaven était pour vous la source de problèmes. Pardonnez-le-lui en tout cas.

Il serra un peu trop longuement la main de Louise et l'abandonna lorsqu'un taxi s'arrêta devant l'immeuble. Une femme d'un certain âge, vêtue d'un manteau de fourrure, en sortit.

— Roland ! s'écria-t-elle. Quelle chance ! Auriez-vous de la monnaie, mon cher... pour le taxi ?

— Mais certainement, Lady Farrington-Grange, répliqua-t-il en fouillant dans ses poches.

Il jeta un dernier coup d'œil à Louise.

— Au revoir, Miss Peterson. J'espère que nous nous reverrons.

Son sourire d'adieu paraissait sincèrement chargé de regret et pourtant, en même temps, toute son attitude trahissait un intense soulagement.

— Au revoir, murmura Louise, et elle s'enfuit vers la station de métro sans se retourner.

Elle partait avec l'impression qu'on s'était moqué d'elle, et elle en voulait à l'homme qui l'avait traitée comme un jouet. Elle prit le chemin de la galerie d'Edgar, le cœur lourd. Pauvre Edgar ! Il l'attendait pour fêter avec elle le début de sa carrière. Comme il allait être déçu !

3

— Ce n'est pas dramatique, assura Edgar d'une voix apaisante en prenant la main de Louise, posée sur la table du restaurant comme un petit oiseau blessé. Une autre occasion va se présenter, vous verrez. Et de toute façon, Ambre vous recontactera.

— Non, mon instinct me dit que je n'entendrai plus jamais parler d'elle, affirma la jeune fille encore étonnée de la manière dont la situation avait tourné. C'était tellement bizarre, Edgar. Cet homme était vraiment pressé de se débarrasser de moi. J'ai presque eu l'impression qu'il avait quelque chose contre moi.

Edgar éclata de rire.

— Que pourrait-il avoir contre vous ?

Louise haussa tristement les épaules.

— Rien. Le destin ne veut simplement pas que je fasse une carrière de portraitiste.

— Ne vous découragez pas ! s'écria Edgar en serrant les doigts de son interlocutrice avec vigueur. Vous aurez une seconde chance, j'en suis certain.

Comme elle fixait la nappe d'un air sombre, il lui releva le menton.

— Regardez-moi, Louise ! Vous allez faire ce que vous aviez décidé avant que Lady Winterhaven ne se manifeste. Partez en Ecosse, reposez-vous et, quand vous reviendrez, je vous présenterai la liste des gens qui vous réclameront à cor et à cri.

— Edgar, vous n'avez pas votre pareil pour me remonter le moral ! lança Louise avec un sourire désarmé. Mais vous êtes aussi le plus grand menteur que j'aie jamais vu !

La jeune fille ne se faisait plus d'illusions. Il y avait déjà de nombreux portraitistes de renom sur le marché, et l'intérêt que lui avait manifesté Lady Winterhaven était inespéré. Pareil miracle ne se reproduirait pas.

Roland Winterhaven avait tout gâché. Il n'était pas fautif, songea Louise en toute justice. Il n'avait pas inventé des travaux au château des Ormeaux exprès pour en éloigner la jeune fille. Toutefois, ses manières impérieuses et arrogantes l'avaient rendu très antipathique. Et pourquoi avait-il paru si désireux d'empêcher Louise de revoir Ambre avant de partir ?

Elle poussa un soupir de résignation. Mieux valait classer cette affaire et se mettre comme prévu à la recherche d'un travail après avoir passé quelques jours en Ecosse.

Lorsque le serveur arriva avec les hors-d'œuvre, Edgar annonça :

— Nous avons quand même quelque chose à fêter. Un peu plus et j'oubliais que j'ai vendu l'un de vos tableaux.

Se redressant immédiatement à cette nouvelle, Louise l'interrogea :

— Lequel ? A qui ?

Edgar la considéra d'un air gentiment moqueur.

— Vous me faites penser à un caméléon, Louise. Vous vous assortissez d'une manière spectaculaire à vos humeurs. Vous voilà soudain intéressée et tout votre visage s'illumine… Vous êtes très belle !

Rougissant du compliment, elle protesta :

— Ne me flattez pas. Dites-moi plutôt lequel vous avez vendu et combien.

— Assez cher pour payer vos vacances, lui répondit-il, faisant durer le mystère. Il s'agit de la petite fille sur la balançoire. Vous voyez : tout n'est pas si noir. Partez tranquille, ne pensez plus à rien. Nous aviserons à votre retour.

Il lui décocha un sourire espiègle et ajouta :

— Et si l'avenir qui vous attend ne vous tente pas, vous pourrez toujours m'épouser et m'aider à tenir ma galerie.

Saisi par une idée subite, Edgar se frappa le front.

— Mais bien sûr ! Pourquoi n'y ai-je pas pensé plus tôt ? Que dites-vous de ma proposition ?

— C'est toujours non, répondit machinalement Louise. Je ne peux pas vous épouser. Vous savez bien que je ne vous aime pas.

— Je ne parle pas de mariage, fit-il. Je vous demande si vous auriez envie de m'assister à la galerie ? Votre expérience et votre sens critique me seraient précieux.

— Vous essayez encore de m'encourager, objecta Louise. Non, Edgar, vous avez déjà trop fait pour moi.

— Je suis sérieux, insista-t-il. Vous me rendriez grand service.

Louise secoua la tête.

— Non, il n'en est pas question, d'autant plus que je ne voudrais pas empiéter sur le travail de Cathy.

— Vous êtes obstinée, orgueilleuse et incorrigible, soupira Edgar.

Après l'excellent déjeuner, Louise retourna à la galerie avec lui. Il tenait à lui donner sans délai un chèque pour le tableau qu'il avait vendu.

Dès qu'elle les vit, Cathy se précipita à leur rencontre.

— Ah, vous voilà ! Tant mieux ! Je lui ai dit que vous ne tarderiez pas à revenir.

— A qui donc ? s'enquit distraitement Edgar en s'installant à son bureau.

— A Lady Winterhaven.

Cathy se tourna vers Louise :

— En vérité, c'est à vous qu'elle désire parler, Miss Peterson. Elle a déjà téléphoné deux fois. Elle m'a paru très énervée et elle souhaitait vous joindre d'urgence.

Les sourcils froncés, Edgar considéra Louise d'un air songeur.

— Elle veut sans doute s'excuser. Appelez-la donc tout de suite. Mieux vaut rester en bons termes avec elle.

Il avait raison et, bien que ce fût une corvée pour elle, Louise s'exécuta. Edgar et Cathy la laissèrent seule. Elle composa le numéro inscrit par la jeune femme sur le bloc et dit à la domestique qui lui répondit :

— Ici Louise Peterson. Je crois que Lady Winterhaven désire me parler.

— En effet, Miss Peterson, ne quittez pas...

Assez crispée, Louise attendit. C'était bien aimable de la part de Lady Winterhaven de vouloir s'excuser, mais cette affaire devenait vraiment embarrassante.

— Louise ! s'écria Lady Winterhaven. J'étais tellement impatiente de vous joindre. Le malentendu de ce matin m'a consternée.

— Ce n'est pas grave, murmura Louise, gênée, je...

— C'est très grave, au contraire ! l'interrompit Lady Winterhaven. Roland n'a pas le droit de contrecarrer mes plans. Il exagère parfois !

— Mais j'ai cru comprendre...

— Je sais. Il vous a raconté que nous entreprenions des travaux. Ces travaux peuvent être remis, je vous le jure. Louise...

Elle marqua une pause, puis reprit :

— Ecoutez, je ne peux pas tout vous expliquer au téléphone. Je vous promets de le faire quand vous viendrez en France. Roland gère mes affaires et il prend ses responsabilités très au sérieux. Il essaie de n'en faire qu'à sa tête, mais je ne le tolérerai pas...

— Mais... répéta un peu stupidement Louise, ne sachant plus du tout à quoi s'en tenir.

— Tirons un trait sur tout cela, si vous le voulez bien. Venez en France comme nous l'avions décidé, à moins que vous ne soyez trop fâchée contre nous ?

Malgré son impression d'être manipulée comme un jouet, Louise la rassura :

— Non, bien sûr.

Puis, pensant à Melissa, elle ajouta :

— Comment va votre bébé ?

— Beaucoup mieux. Pauvre petite ! A cet âge-là, elle ne peut pas dire où elle a mal !

Louise ne put s'empêcher de sourire. Ambre se conduisait avec tant de charme et de naturel qu'il était impossible de lui opposer un refus. Elle possédait aussi apparemment une certaine volonté puisqu'elle ne se laissait pas dominer par l'intraitable Roland Winterhaven. Quel était exactement leur lien de parenté ?

— Parlons d'argent maintenant, déclara Lady Winterhaven, se révélant soudain femme pratique. Pour commencer, vous allez avoir des frais de voyage.

Mal à l'aise pour aborder ce sujet, Louise murmura :

— Nous en discuterons plus tard, Lady Winterhaven.

— Comme vous voudrez, accorda son interlocutrice, mais appelez-moi Ambre !

Grâce au chèque d'Edgar, Louise pouvait payer son déplacement et elle affirma à la jeune femme :

— Ce n'est pas pressé.

Elles bavardèrent encore un peu. Lorsqu'elle raccrocha, Louise se laissa choir dans le fauteuil d'Edgar avec un grand soupir. Quel renversement de situation ! La suite des événements inspirait certaines craintes à la jeune fille. Elle n'avait pourtant pas pu renoncer à une commande qu'elle avait acceptée avec enthousiasme quelques heures plus tôt.

Revenant dans la galerie, Edgar s'immobilisa de stupéfaction quand il la vit.

— Comment, vous souriez! Vous a-t-elle offert de vous dédommager?

— Non, il s'agit d'un malentendu, expliqua Louise en secouant la tête. Lady Winterhaven a mis les choses au point avec le dénommé Roland, et je pars comme prévu.

Edgar tira la jeune fille du fauteuil et la fit tournoyer dans la pièce.

— C'est merveilleux! Fantastique! Je suis ravi pour vous, ma chère Louise.

Encore étourdie par le vin du déjeuner et le choc qu'elle venait de recevoir, elle cria:

— Lâchez-moi, Edgar! Vous me donnez le vertige.

Il lui obéit et prit gentiment son visage entre ses belles mains d'artiste.

— Maintenant, écoutez-moi bien. Vous allez garder votre sang-froid, j'ai confiance en votre talent.

— C'est noté! plaisanta-t-elle.

— Alors disparaissez vite! Vous avez toutes sortes de préparatifs à faire. Et téléphonez-moi avant de partir, nous dînerons ensemble. Attendez...

Il prit son chéquier et régla à Louise la somme promise.

— Allez, filez! J'ai du travail et vous avez déjà suffisamment bouleversé ma journée!

Louise décida de passer une nuit à Paris et de gagner le château des Ormeaux le jour suivant. L'arrière de sa petite voiture était plein à craquer. Elle y avait entassé son chevalet, des toiles et tout le matériel nécessaire à son métier. Ses affaires personnelles se trouvaient dans le coffre. Elle avait emporté presque toute sa garde-robe qui comptait quelques tenues habillées. Elle ne possédait toutefois rien de comparable aux élégantes toilettes de Lady Winterhaven.

Dès que Louise essayait de s'imaginer sa vie au château, des appréhensions l'envahissaient. Elle ne se réjouissait vraiment pas à l'idée de revoir Roland. A plusieurs reprises, elle avait bien failli renoncer à partir, mais elle ne pouvait pas décevoir Edgar. En outre, au plus profond d'elle-même, elle désirait aller jusqu'au bout de cette aventure.

Elle quitta Paris par une belle matinée de printemps, et le calme serein de la campagne exerça une action bénéfique sur elle.

Elle était venue dans la vallée de la Loire plusieurs années auparavant avec un groupe d'étudiants en art. Parmi eux se trouvait Paul...

Son souvenir resurgissait souvent dans l'esprit de Louise. Et, au-delà de la souffrance qui s'était estompée avec le temps, restait une nostalgie. C'était si merveilleux d'aimer et d'être aimée.

Tournant volontairement le dos au passé, Louise s'absorba dans la contemplation du paysage en fredonnant un air joyeux. Ici et là, elle apercevait les tours et les tourelles d'un château niché dans la verdure ou perché sur une hauteur.

Quelle région idéale pour un peintre, songea-t-elle ! Elle devait résister à la tentation de se garer sur le bord de la route et de sortir ses pinceaux. Sous le doux soleil printanier, tout n'était que nuances. La Loire formait des boucles de satin mauve entre des champs verts ou des rangées de saules, d'aulnes et d'autres arbres au feuillage neuf. Les toits d'ardoise des villages semblaient se fondre dans une brume légère.

S'arrêtant pour déjeuner à Amboise, Louise s'accorda quelques instants pour dessiner le château chargé d'histoire et le fleuve qui coulait paresseusement sous le pont. Un homme pêchait dans une petite barque. Il se tenait si immobile qu'il semblait poser pour elle. Toutefois, Louise abrégea sa halte. En cet endroit, traîtreusement, le souvenir des jours où elle avait connu le bonheur d'aimer ressuscitait avec force...

Bien restaurée par une soupe nourrissante, du fromage et du pain tout chaud, juste sorti du four, elle se remit en route. Tandis qu'elle s'éloignait de la ville, ses craintes la reprirent. Elle dut consulter par deux fois sa carte pour trouver le bon chemin. Elle découvrit le château bien avant de l'atteindre. Il était entouré de vignes soignées et se détachait, d'une blancheur éclatante, sur un fond sombre de forêt.

Louise passa l'entrée de la propriété où son nom était inscrit en grosses lettres et monta une longue allée entre les vignes. Elle se reprochait sa nervosité croissante. Pouvait-elle imaginer une personne plus agréable et chaleureuse que Lady Winterhaven ?

En approchant, elle se rendit compte que les cultures n'arrivaient pas aux portes de la demeure. Elles étaient remplacées par de vastes pelouses où scintillaient les eaux d'un lac. Plusieurs ormes l'entouraient, auxquels la propriété devait sans doute son nom.

Et soudain, le château se dressa devant Louise, haut et impressionnant avec ses tours et ses fenêtres à meneaux. Il n'était pas très grand, mais alliait le charme à un aspect redoutable. Un château de conte de fées, pensa Louise. Lorsqu'elle opéra un demi-tour devant la façade principale, une vue extraordinaire s'offrit à elle. Elle n'aurait pas cru qu'elle s'était élevée si vite à une telle altitude. Un panorama splendide se déroulait sous ses yeux dans l'éclairage doré de l'après-midi.

Sortant de sa voiture, elle resta un moment à hésiter. Elle considéra avec un mélange de peur et d'émotion les vieilles pierres lumineuses qui allaient l'abriter durant les prochaines semaines.

« Je ferais bien d'annoncer mon arrivée », murmura-t-elle finalement et elle se dirigea vers l'entrée. Ambre lui dirait où elle devait garer sa voiture et porter ses bagages. Pourquoi se faisait-elle tant de soucis alors que la femme qui l'attendait la considérait comme son amie ?

Elle poussa le bouton d'une sonnette moderne qu'elle jugea un peu déplacée dans un cadre pareil. Elle lui aurait préféré une corde actionnant une cloche.

Elle attendit avec impatience et, comme personne ne se manifestait, elle s'affola. S'était-elle trompée ? Non, elle se trouvait bien au château des Ormeaux ainsi que le lui avait indiqué la pancarte.

La porte s'ouvrit enfin et une jolie domestique enveloppa Louise d'un regard interrogateur.

— Je suis Louise Peterson, déclara-t-elle en utilisant de son mieux le français qu'elle avait appris à l'école. Je voudrais voir Lady Winterhaven.

— Oui, oui, fit la jeune fille avec un large sourire.

Cette fois, elle ouvrit grand la porte.

— Entrez, je vous en prie.

Pénétrant dans le hall, Louise examina l'escalier, les portes qui se trouvaient à droite et à gauche, le sol en pierre rehaussé par quelques tapis et les murs austères qu'égayaient des tableaux et des tapisseries.

La domestique annonça :

— Mme la Comtesse n'est pas là, mais elle ne va plus tarder.

Cette nouvelle eut un effet désagréable sur Louise. Elle avait escompté être accueillie par Ambre et son absence, même si elle n'était que de courte durée, lui causait une déception. Elle se laissa conduire dans un petit salon où brûlait un feu.

— Asseyez-vous, offrit la domestique. Je vais vous apporter du thé.

Sur ces mots, elle disparut et Louise choisit un fauteuil confortable près de la cheminée. Le salon présentait un net contraste avec le hall. Il s'agissait d'une petite pièce intime où la famille se réunissait sans doute. Louise y découvrit un poste de télévision, un électrophone, des livres et des revues éparpillés ici et là, ainsi que des jouets.

Elle parvint à se détendre dans cette atmosphère. Elle n'était pas assise depuis cinq minutes qu'elle entendit la porte s'ouvrir. Elle se retourna, croyant voir la domestique revenir avec le thé. A sa grande consternation, au lieu de la frêle silhouette de la jeune

Française, elle découvrit Roland Winterhaven qui se dressait de toute son imposante stature sur le seuil. Il parut aussi étonné qu'elle.

Il pénétra dans la pièce à grands pas, claquant violemment la porte derrière lui. Ses yeux étaient noirs de colère et d'incrédulité.

— La voiture qui est dans la cour vous appartient, je suppose ?

— Oui, répondit Louise, joignant ses mains tremblantes.

Les yeux étincelants ne quittaient pas les siens.

— Puis-je savoir ce que vous faites ici ?

Louise se raidit dans son fauteuil. Elle ne devait pas se laisser intimider. Elle était venue sur l'invitation explicite d'Ambre.

— Je suis ici à la demande de Lady Winterhaven. Elle m'a priée de faire le portrait de ses enfants et de son mari, affirma-t-elle sur le ton le plus ferme possible.

Roland Winterhaven fronça les sourcils. Il ne contenait plus sa fureur.

— Je croyais vous avoir dit que votre présence n'était pas souhaitable pour le moment.

Bien décidée à ne pas capituler à nouveau devant cet homme aux manières si brusques, Louise tint bon.

— Lady Winterhaven m'a téléphoné ensuite, expliqua-t-elle sans perdre son calme, et elle a dissipé le malentendu.

— Le malentendu ! rugit-il. Quel malentendu ? Il n'y en a pas. Lady Winterhaven n'est pas là et je ne comprends pas pourquoi je vous trouve en ces lieux, Miss Peterson.

Louise frissonna malgré elle. Elle se sentait comme une criminelle sous ce regard accusateur.

— Lady Winterhaven n'est pas là ! répéta-t-elle. La domestique m'a pourtant affirmé qu'elle serait de retour d'ici peu de temps.

Avait-elle mal compris les explications en français, se demanda-t-elle avec anxiété ?

— Lady Winterhaven est absente pour plusieurs semaines, ainsi que je vous en avais informée, annonça Roland en appuyant bien chaque mot.

Pour le coup, Louise ne savait plus où elle en était.

— Mais elle m'a téléphoné et…

La domestique entra, interrompant la jeune fille.

— Monsieur Roland! s'exclama-t-elle, visiblement surprise de le voir.

Elle posa son plateau sur une table près de Louise et considéra son maître avec appréhension.

Roland Winterhaven s'adressa immédiatement à elle dans un français très rapide et Louise ne parvint pas à suivre la conversation. Quelques mots saisis au passage ne suffirent pas à la renseigner. Finalement, Roland déclara sèchement :

— Bien, c'est tout, Marie.

La domestique s'échappa en lançant un coup d'œil étrange à Louise. Lorsque la porte se referma derrière elle, Roland Winterhaven s'approcha de la jeune fille et la regarda de haut, les lèvres crispées par un sourire inquiétant. Une sombre détermination l'animait.

— Je suis vraiment navré, Miss Peterson, fit-il sur un ton froid, mais aujourd'hui encore, vous vous êtes dérangée pour rien. Lady Winterhaven a agi sur une impulsion alors que la situation n'a pas changé. Il est impossible que vous séjourniez ici pour le moment. D'ailleurs, un autre peintre a été retenu pour le portrait de Sir Peter. Je vais naturellement vous rembourser vos frais.

Les intentions de Roland Winterhaven étaient parfaitement claires. Il souhaitait le départ immédiat de Louise. Celle-ci sentait la colère monter en elle. Malgré sa timidité, elle savait se défendre quand il le fallait. Roland Winterhaven ne se moquerait pas d'elle deux fois.

Elle se leva et affronta courageusement son adversaire les yeux dans les yeux.

— Je vais attendre Lady Winterhaven, annonça-t-elle.

Non, ils n'allaient pas continuer à se la renvoyer comme un ballon de football au cours d'un match !

Roland Winterhaven essaya de la prendre par le bras comme il l'avait fait à Londres, mais elle recula, se dérobant à lui. Elle ne lui permettrait pas de l'entraîner hors du château.

Il s'adressa alors à elle d'une manière plus polie :

— Miss Peterson, je suis désolé de cette situation. Pour ne pas l'aggraver, il vaudrait mieux que vous partiez tout de suite… sans attendre le retour de Lady Winterhaven.

— J'ai été engagée par Lady Winterhaven, rétorqua nettement Louise. Pourquoi devrais-je partir sur un simple ordre de vous ? Pourquoi vous conduisez-vous ainsi ?

La foudroyant du regard, il lui répondit sur un ton cinglant :

— Cela ne vous concerne pas.

— Si, justement ! répliqua Louise, étonnée de son audace.

Cet homme la poussait vraiment à bout.

— J'ai apparemment fait tout ce chemin pour rien. Je pense qu'on me doit une explication, c'est la moindre des politesses. Lady Winterhaven m'a assurée qu'il n'y avait pas de travaux pour l'instant dans ce château.

A sa grande satisfaction, son interlocuteur parut décontenancé par cette remarque. Il s'était sûrement attendu à pouvoir se débarrasser de Louise aussi facilement qu'à Londres. Sa résistance le surprenait.

Après une seconde de réflexion, il lui dit d'une voix neutre :

— Je vous ai offert de vous dédommager pour ce dérangement inutile.

Une façon de procéder aussi odieuse attisa la colère de Louise.

— Vous ne m'achèterez pas ! lança-t-elle. Non, cette fois, vous ne vous débarrasserez pas de moi. Je reste. J'attendrai Lady Winterhaven le temps qu'il faudra. Elle m'a demandé de venir, je ne partirai que sur son ordre.

Roland Winterhaven semblait lutter contre le désir de s'emparer de Louise, de la secouer, de la frapper peut-être. Parvenant à se contrôler, il tenta de l'amadouer en jouant à l'homme conciliant.

— Je comprends votre déception, Miss Peterson. Mais je dois vous dire que je gère les biens de Lady Winterhaven. Elle ne peut faire aucune dépense sans mon approbation. Si je lui oppose mon veto, vous ne serez pas payée pour votre travail, je suis désolé de vous l'apprendre.

— Eh bien, je vous intenterai un procès ! explosa Louise.

Roland Winterhaven esquissa une moue de dédain.

— Il serait plus raisonnable de votre part d'accepter une autre commande. M. Benson a raconté à Lady Winterhaven que les gens se disputent pour vous avoir.

Cher Edgar ! Il avait menti pour la mettre en valeur. S'il avait vu Louise en cet instant ! Elle releva fièrement le menton et déclara :

— Je ne partirai pas avant d'avoir vu Lady Winterhaven.

— Vous êtes une femme têtue, répliqua Roland Winterhaven en faisant un pas vers elle.

D'instinct, Louise recula. Cet homme l'impressionnait malgré elle. Il avança encore et, continuant à battre en retraite, Louise heurta une chaise. Roland Winterhaven l'aida à retrouver son équilibre mais ensuite, il ne la lâcha pas. Il l'attira au contraire vers lui avec force et écrasa sa bouche dans un baiser brutal qui lui coupa le souffle.

Sur le moment, Louise fut trop surprise pour lui opposer la moindre résistance. Puis elle se débattit en vain, elle se trouvait entièrement à sa merci. Lorsqu'il la libéra, elle vacilla.

— Comment avez-vous osé ? s'écria-t-elle, tremblante de fureur.

— Si vous vous obstinez à me défier, j'oserai pire encore, annonça-t-il sur un ton menaçant. J'ai un faible pour les beautés brunes dotées d'une volonté de fer et d'un corps souple.

— Vous... vous êtes un goujat ! lança Louise, haletante.

— A votre place, je partirais maintenant, pendant qu'il en est encore temps, conseilla-t-il.

— Vous ne vous jetteriez quand même pas sur moi comme un sauvage ? rétorqua-t-elle sèchement.

Une lueur moqueuse et cruelle dansant au fond de son regard insondable, il lui répondit avec désinvolture :

— Je ne sais pas si je résisterai à la tentation !

— Je me défendrai, croyez-moi ! siffla Louise.

— Ne soyez pas trop sûre de vous, fit-il avec une tranquillité troublante, et Louise tressaillit malgré elle à l'idée de se trouver opposée à un être si autoritaire.

Mais elle était plus que jamais décidée à ne pas céder. Une véritable bataille s'était engagée et elle voulait montrer à cet homme présomptueux que les plus forts en apparence ne sont pas toujours les gagnants.

— Je n'ai pas peur, déclara-t-elle d'une voix ferme.

Ils se mesurèrent du regard et ni l'un ni l'autre ne consentit à baisser les yeux. Louise savait qu'elle se comportait probablement d'une façon inconsidérée, mais il était trop tard pour faire machine arrière. Même s'il était dangereux de provoquer Roland Winterhaven, elle ne partirait pas avant d'avoir éclairci l'affaire.

Par bonheur, la terrible tension qui s'était installée dans la pièce fut rompue par l'entrée d'Ambre Winterhaven. Un peu essoufflée, elle cria :

— Louise...

Son sourire mourut sur ses lèvres et son visage exprima la plus totale consternation lorsqu'elle découvrit la présence de Roland.

— Roland ! Je croyais que vous étiez absent pour la semaine !

Elle rougit violemment et ne parvint pas à soutenir le regard dur qu'il posait sur elle. L'air désolé, elle se tourna vers Louise.

— Pardonnez-moi... je voulais être là pour votre arrivée. J'étais en visite chez une amie et par malchance, ma voiture est tombée en panne sur le chemin du retour. Cela a été toute une histoire pour trouver un garage, sinon je serais là depuis longtemps.

Elle jeta un coup d'œil un peu plus audacieux à Roland et lui décocha un sourire faussement ingénu.

— Eh bien, vous voyez, en fin de compte, j'ai quand même invité Miss Peterson !

— Oui, je vois, répondit-il.

— J'espère que vous n'allez pas en faire un drame, poursuivit-elle, avec de plus en plus de confiance en elle. Sachez que je tiens à ce qu'elle reste.

A la grande surprise de Louise, il ne chercha pas à discuter.

— Que Miss Peterson fasse ce qu'elle veut, affirmat-il en l'enveloppant d'un regard pénétrant qui lui donna l'impression d'être nue devant lui.

Sur ces mots, il tourna les talons et quitta la pièce.

4

— Ouf! s'exclama Lady Winterhaven en se laissant tomber dans le fauteuil le plus proche.

Elle croisa élégamment ses jambes, lissa la jupe en daim qui tombait sur des bottes magnifiques et joua avec son collier.

Aussi sidérée qu'elle, Louise prit un siège à son tour.

— Je n'arrive pas à le croire! lança-t-elle. J'ai gagné la bataille sans avoir eu besoin d'ouvrir le feu. J'étais pourtant prête à me bagarrer encore, s'il l'avait fallu.

Elle se pencha vers la table.

— Reste-t-il du thé? Je meurs de soif.

Comme la théière était encore chaude, elle ajouta :

— Je vais demander à Marie de m'apporter une tasse.

Elle se leva pour sonner la domestique, puis se tourna vers Louise, l'air confus.

— Ma chère, vous devez juger que nous formons une bien curieuse famille! Roland a certainement reçu un choc en vous trouvant ici. Etait-il très en colère? A-t-il encore essayé de vous renvoyer?

Louise se mordilla les lèvres. Il lui était impossible de raconter à Ambre la scène qui avait eu lieu.

— Il... il a paru étonné, concéda-t-elle d'une voix hésitante. Je suis vraiment ennuyée. J'ai l'impression que ma présence déchaîne un drame. M. Winterhaven y semble tout à fait opposé.

Ambre s'installa de nouveau dans son fauteuil, joignant ses mains couvertes de bagues sur ses genoux. Malgré elle, un petit rire lui échappa.

— Ne m'en veuillez pas, s'excusa-t-elle. Toute cette histoire a des allures de farce. J'étais persuadée d'avoir réussi à me jouer de Roland. Comme j'étais sûre de n'arriver à rien en discutant avec lui, j'ai pris sur moi de vous téléphoner afin de réitérer mon invitation. Il devrait se trouver à Paris en ce moment. Votre arrivée serait normalement passée inaperçue et, à son retour, il vous aurait trouvée là, occupant bel et bien la place ! Je n'avais vraiment pas prévu qu'il reviendrait aujourd'hui, ni que je tomberais en panne de voiture... Vous auriez pu faire échouer tous mes plans quand il vous a laissé la décision finale.

Elle considéra Louise avec une expression songeuse.

— Je ne comprends d'ailleurs pas très bien pourquoi il est parti en disant : « Que Miss Peterson fasse ce qu'elle veut. » Et vous, vous comprenez ?

Louise esquissa un signe négatif. Elle savait pourtant ce que Roland avait sous-entendu, et son désir le plus pressant était de s'enfuir. Mais Ambre aurait tout tenté pour la convaincre de rester. Et puis au fond, Louise ne souhaitait pas céder à la panique. Elle voulait tenir tête à l'arrogant Roland Winterhaven.

— Je n'ai pas changé d'avis quant au travail que vous me proposez, assura-t-elle.

Ambre poussa un soupir.

— Oh, Roland a voulu me faire peur, comme toujours. Il sait tourner ses phrases de façon à me déconcerter. Quand il a pris une décision, il a horreur de revenir dessus. Je ne sais toujours pas pourquoi il a condamné dès le premier instant mon projet de portraits.

Marie entra à ce moment-là. Elle avait deviné

qu'Ambre désirait une tasse supplémentaire et elle l'apportait d'elle-même.

Après son départ, la jeune femme reprit la parole :

— L'attitude de Roland vous paraît sûrement très étrange... à moi aussi. Pourquoi fait-il une montagne de votre présence ? On dirait qu'il ne veut voir personne dans ce château. Si seulement je savais pour quelle raison !

Elle éclata soudain de rire et ajouta :

— J'ai peut-être une idée ! Il avait invité ici une ravissante jeune femme et il va devoir la décommander à cause de nous, parce que nous ne sommes pas restées en Angleterre !

— Peut-être, murmura Louise, jugeant l'hypothèse vraisemblable.

— Eh bien, quelles que soient ses intentions, poursuivit Ambre, il faudra qu'il s'accommode de notre présence. S'il voulait vraiment entreprendre des travaux, il les remettra à plus tard. Il n'y a pas urgence.

Elle rejeta sa chevelure dorée d'un mouvement énergique et Louise constata avec une involontaire pointe de jalousie combien elle était belle.

— Vous vous demandez sans doute pourquoi Roland vit ici, et de quel droit il se met en travers de mon chemin ?

— Il m'a dit qu'il gère vos biens.

— C'est exact, confirma Ambre. Peter en a décidé ainsi, et je ne m'en plains pas. Les questions d'argent et les lourdes responsabilités que représente une grande propriété comme celle-ci me dépassent...

Elle s'interrompit et, enveloppant Louise d'un regard amical, elle sourit.

— Je ferais mieux de commencer par le commencement. J'ai épousé Peter Winterhaven à l'âge de vingt ans. Puisqu'il était un héros de la Seconde Guerre mondiale, vous vous doutez que j'étais beaucoup plus jeune que lui. Nous avons cependant été très heureux et sa mort m'a...

L'émotion étouffa un instant les sons dans sa gorge.

— Mais la vie continue et je dois penser aux enfants. Peter n'en avait pas de son premier mariage et, quelques années avant que nous nous rencontrions, il a adopté son neveu Roland qui est orphelin. Notre mariage a compliqué la situation et Peter a résolu les problèmes au mieux. Il a laissé la propriété à Roland, mais celui-ci a le devoir de nous y héberger, les enfants et moi, ainsi que de nous donner les moyens de vivre. C'est un peu compliqué. En un mot, Roland tient les cordons de la bourse et, comme vous vous en êtes rendu compte, il se montre plutôt strict. Il a raison de m'empêcher de satisfaire tous mes caprices, mais...

— Me considère-t-il comme un caprice ? s'enquit Louise.

— C'est en tout cas ainsi qu'il a présenté les choses, avoua Ambre. Mais je l'ai prévenu. S'il veut se montrer mesquin, ma mère paiera à sa place. Je tiens à ce que ces portraits soient exécutés maintenant et par vous. Peter aimait beaucoup la peinture, et je suis sûre qu'il m'aurait approuvée.

Le souvenir de son mari amena une expression attendrie sur son visage.

— Ce devait être un homme merveilleux, fit remarquer Louise avec douceur.

— Oui, accorda Ambre en reposant sa tasse.

Elle poussa un profond soupir.

— Il avait même émis le vœu que j'épouse Roland s'il lui arrivait quelque chose.

— Epouser Roland ! s'écria Louise, stupéfaite.

— Peter était réaliste, lui expliqua sa compagne. Je n'ai que deux ans de plus que Roland, et notre mariage simplifierait considérablement la situation. Cependant...

Prenant un air malicieux, elle ajouta :

— ... Roland est un être très dominateur et il continuerait comme à présent à n'en faire qu'à sa tête, sans se soucier de mes désirs. Il a souvent raison, je le

46

reconnais volontiers, et il s'occupe presque mieux que Peter de la propriété. Il est d'une efficacité et d'une compétence remarquables. Par ailleurs, il se montre très bon envers les enfants et moi. Pourtant, de temps à autre, j'éprouve le besoin de m'affirmer en face de lui, de prouver mon indépendance… comme en ce moment !

Une petite moue de fausse innocence conféra un charme nouveau à ses traits.

— J'aurais pu retarder votre venue de quelques semaines comme il me le demandait, fit-elle avec un sourire. Mais lui aussi, il aurait pu céder et accepter de faire venir ses décorateurs plus tard…

— Vous êtes deux fortes personnalités, jugea Louise. Croyez-vous pouvoir former un couple harmonieux avec lui ?

La jeune fille espéra ne pas paraître trop indiscrète. Ambre accueillit sa question avec beaucoup de naturel. Ses yeux bleus s'animant, elle lança :

— Ne le trouvez-vous pas très séduisant ?

Surprise par une interrogation aussi directe, Louise sentit le rouge lui monter aux joues.

— Euh… oui… en effet, balbutia-t-elle.

Ambre l'incita vigoureusement à exprimer son avis d'une manière plus nette :

— Allons, reconnaissez qu'il a une façon irrésistible de regarder une femme avec ses yeux gris si pénétrants. Même si on ne l'aime pas, on ne peut pas rester insensible à la force virile qui se dégage de lui. Roland est l'homme le plus troublant que j'aie jamais connu… et vous ?

— Je n'ai pas eu l'occasion de rencontrer beaucoup d'hommes, déclara Louise, sans pouvoir s'empêcher de revivre le baiser que Roland lui avait donné dans ce même salon un moment plus tôt.

— Et Edgar ? s'enquit Ambre. Je le trouve extrêmement sympathique.

— Il a été très gentil avec moi, affirma prudemment

Louise qui ne se sentait pas à l'aise sur le terrain où l'entraînait son interlocutrice.

— Je vois que vous ne voulez pas vous compromettre, fit-elle en éclatant de rire. Vous avez raison. Il ne faut pas crier ses sentiments sur les toits.

Elle s'assombrit soudain et changea complètement d'attitude.

— Je vous demande pardon. Ne m'avez-vous pas dit que vous avez perdu votre fiancé ? Je l'avais oublié.

— Il est mort dans un accident de moto, précisa Louise.

Une expression de sincère compassion apparut sur le visage d'Ambre.

— Je me mets à votre place. Cela a dû être terrible, j'en sais quelque chose. Peter s'est tué en voiture, pendant une course. Ce sport dangereux n'était plus de son âge, mais il est au moins mort en faisant ce qu'il aimait.

Elle poussa un soupir douloureux.

— Hélas, c'est bien dur pour ceux qui restent. Sa disparition a laissé un vide dans ma vie, un vide qu'il me semble impossible de combler.

— C'est exactement ce que je ressens, glissa Louise, heureuse de se trouver avec un femme qui pouvait la comprendre. J'ai l'impression d'être un peu morte aussi...

Elle s'interrompit, découvrant brusquement que ses paroles ne correspondaient plus à la vérité. Il y avait seulement quelques instants, tout un monde de sensations qu'elle avait crues enterrées avec Paul, s'était réveillé en elle. Et elle s'empourpra à l'idée de devoir cette résurrection à un homme comme Roland Winterhaven.

— On ne souffre plus... il y a juste un vide, répéta Ambre.

— Edgar prétend que j'aime encore Paul, expliqua Louise, encouragée par la similarité de vues de son interlocutrice. Il a tort. On ne peut pas aimer quelqu'un qui n'est plus. L'amour implique un partage, une réciprocité, n'est-ce pas ?

— Je suis entièrement d'accord avec vous, affirma Ambre. J'aimais énormément Peter alors qu'il aurait pu être mon père. Pas une seule fois je n'ai regardé un homme plus jeune de son vivant, mais à présent, je me sens prête à retomber amoureuse et j'en éprouve une certaine culpabilité.

Faisait-elle allusion à Roland ? se demanda Louise. Elle ne s'était pas prononcée clairement à ce propos dans le cours de la conversation. Ses sentiments manquaient sans doute encore de netteté et elle devait commencer par se libérer de l'impression de commettre une faute. Peut-être avait-elle en réalité désiré revenir au château maintenant pour empêcher Roland d'y recevoir une autre femme ? Elle pouvait être jalouse, sans même bien s'en rendre compte. Tout en remuant ces suppositions dans son esprit, Louise changea de sujet :

— J'aurais besoin de mieux connaître la vie de votre mari pour peindre son portrait. Il me faudrait surtout des détails sur ses activités pendant la guerre.

— Bien sûr ! lança Ambre, semblant sortir d'une douce rêverie. Je vous donnerai sa biographie.

— Il était vraiment très modeste pour refuser de recevoir les honneurs dus à ses exploits de son vivant, déclara Louise.

— En effet, il n'autorisait aucune publicité autour de sa personne. Il n'aurait même pas accepté de poser pour un portrait. Et maintenant, vous travaillerez d'après des photographies. J'espère que cela ne vous complique pas trop la tâche ?

Se souvenant soudain d'une déclaration de Roland, Louise négligea de répondre à cette question.

— M. Winterhaven m'a laissé entendre qu'un autre artiste avait été choisi pour faire ce portrait.

Les traits d'Ambre se figèrent en un masque d'obstination et elle réagit fermement :

— Il n'en est pas question. Le maire m'a bien présenté un peintre, mais je n'aime pas ses tableaux. Je n'y ai trouvé aucune vie. Comme mon opinion est prédominante, vous n'avez rien à craindre. Roland vous a dit cela pour essayer de vous décourager.

Il y eut un petit silence et Ambre bondit brusquement sur ses pieds.

— Mon Dieu, je suis impardonnable ! Nous sommes là à bavarder et vous devez être épuisée par votre voyage. Je ne pense vraiment à rien... mais j'aime tellement discuter avec vous. Nous avons tant de choses en commun, Louise. Je suis sûre que votre compagnie me sera très bénéfique.

Comme Ambre l'entraînait hors du salon, Louise s'empressa d'apaiser ses remords :

— J'ai passé la nuit dernière à Paris et j'ai pris mon temps pour venir jusqu'ici aujourd'hui. J'ai déjeuné à Amboise.

— Amboise ! releva Ambre avec enthousiasme. C'est un de mes endroits préférés avec Blois. Et êtes-vous déjà allée au Clos-Lucé ?

— Non, répondit Louise.

— Il faudra absolument vous y rendre.

— Je ne dois pas oublier que je suis venue pour travailler, déclara la jeune fille en adressant un sourire à son interlocutrice.

Ambre balaya cette remarque d'un geste de la main.

— Suivez-moi, je vais vous montrer votre chambre.

Dans le hall, elles rencontrèrent un homme d'un certain âge aux cheveux presque blancs et au dos légèrement voûté.

— Ah, Henri ! fit Ambre. Veuillez monter les affaires de Miss Peterson et garer sa voiture, s'il vous plaît.

Tandis qu'il s'éloignait après s'être incliné, elle expliqua à Louise :

— Il est un peu sourd mais il sait lire sur les lèvres

Pendant la guerre, il a combattu aux côtés de Peter et il lui est resté entièrement dévoué jusqu'à sa mort.

Elle guida d'abord Louise jusqu'à son atelier.

— Je vous ai fait aménager une pièce de la tour ouest, annonça-t-elle. Elle est entièrement vitrée et j'ai pensé qu'elle vous conviendrait.

La suivant toujours, Louise découvrit ensuite sa chambre spacieuse, lambrissée, meublée d'une manière confortable et gaie grâce à un assortiment harmonieux de couleurs.

— J'espère que vous vous sentirez bien ici, déclara Ambre. A droite, vous avez une salle de bains.

Elle indiqua une porte à Louise et la jeune fille ne put cacher sa satisfaction.

— Peter aimait l'aspect médiéval du château, mais il appréciait aussi le confort moderne ! lui lança son hôtesse en riant. Maintenant je vous laisse. Changez-vous, délassez-vous. Ne redescendez que lorsque vous serez prête. Les enfants sont très impatients de vous revoir. Heureusement pour vous, ils sont en promenade avec leur nurse, Philippa Best. Ils ne vous accapareront pas avant ce soir !

Après le départ d'Ambre, Louise réexamina de plus près le lieu dans lequel elle allait vivre, et son impression favorable se confirma. Elle serait à l'aise dans cette chambre agréable. Par la fenêtre, elle découvrit une vue splendide sur le lac. Le soleil couchant jetait dans le ciel des bannières flamboyantes qui formaient un contraste saisissant avec le paysage déjà gris sombre. Au loin, le ciel se reflétait dans la Loire et le fleuve semblait une coulée d'or en fusion.

Louise n'éprouvait pas la moindre fatigue. Elle se rafraîchit en prenant une douche dans sa magnifique salle de bains et s'attaqua au problème le plus urgent. Comment allait-elle s'habiller pour la soirée ? Elle se décida finalement pour sa robe en lainage rouge cerise, une robe élégante, à manches longues. Cette couleur audacieuse l'aiderait à affronter de nouveau Roland Winterhaven.

Elle brossa ses cheveux noirs et les coiffa en arrière au moyen de peignes. Elle portait les boucles d'oreilles et le bracelet en argent que Paul lui avait offerts. Lorsqu'elle eut terminé ses préparatifs, il était presque sept heures et, espérant qu'elle avait encore le temps de voir les enfants, elle descendit à la hâte.

Elle hésita un instant au milieu du hall désert et eut l'idée de jeter un coup d'œil dans le petit salon où on l'avait reçue. Le souvenir de son entretien mouvementé avec Roland Winterhaven lui donnait une certaine appréhension.

Au moment où elle allait ouvrir la porte, Marie apparut derrière elle, et l'invita à la suivre. Elle l'entraîna à l'opposé du hall, dans un vaste bureau que Louise crut vide au premier abord. Ses yeux en firent lentement le tour, admirant le velours rouge des tentures, les tapis, les chandeliers, et ils tombèrent finalement sur une haute silhouette qui se tenait près de la cheminée. Les rideaux tirés et le faible éclairage d'une lampe située de l'autre côté de la pièce ne lui avaient pas permis de distinguer tout de suite cet homme en complet sombre.

Lorsque enfin leurs regards se croisèrent, Louise éprouva le vif désir de s'enfuir. Roland Winterhaven avait sûrement prévu de la surprendre et de l'impressionner. Mue par un pur esprit de révolte, Louise se ressaisit et pénétra hardiment dans la pièce.

— Bonsoir, monsieur Winterhaven, fit-elle sur un ton de stricte politesse.

— Bonsoir, Miss Peterson, répondit-il en esquissant une courbette ironique. Appelez-moi Roland, je vous en prie. Ambre m'a dit que vous vous êtes mises d'accord pour utiliser les prénoms.

— Merci, murmura Louise.

— Voulez-vous boire quelque chose ?

Il se montrait exagérément courtois et dévisageait la jeune fille avec une intensité insupportable.

— Un xérès, s'il vous plaît, répondit-elle.

Elle regretta immédiatement de n'avoir pas choisi une boisson plus originale, mais Roland Winterhaven se dirigeait déjà vers le bar. En lui tendant son verre, il l'étudia des pieds à la tête d'une manière osée et troublante.

— Quelle robe ravissante ! s'exclama-t-il. Et le rouge est une couleur si provocante !

Il jouait avec Louise comme un chat avec une souris et s'amusait de sa confusion. Jamais il ne lui pardonnerait de lui avoir résisté. Soudain, elle se sentit coupable. Après tout, n'avait-il pas droit à sa vie privée ? A cause d'elle, il avait dû renoncer à ses projets. Si elle ne s'était pas conduite d'une manière si obstinée, Ambre aurait peut-être cédé et elle serait retournée en Angleterre comme il le souhaitait. Etait-ce vraiment pour une femme qu'il avait voulu avoir le château à lui seul ? Louise était curieuse malgré elle de savoir à quel genre de femme il s'intéressait.

— Si le rouge vous déplaît, déclara-t-elle, j'en suis navrée. Malheureusement, ma garde-robe est des plus limitées et je m'habillerai souvent ainsi.

Il écouta ses explications avec un sourire énigmatique.

— Elle vous va à ravir et vous le savez.

Portant un toast chargé d'ironie à Louise, il lança :

— A votre santé... et à votre séjour, qu'il soit long... ou court !

Il vida son verre d'un trait et Louise trempa les lèvres dans le sien en s'exhortant à garder son calme. A l'avenir, elle devrait éviter le plus possible de se trouver seule avec Roland Winterhaven. Avec un ennemi de sa trempe dans la place, sa vie n'allait pas être facile.

A son grand soulagement, Ambre pénétra à cet instant dans la pièce, précédée par trois de ses enfants. Elle portait Melissa dans ses bras. Les minutes suivantes se passèrent dans une joyeuse animation. Les aînés manifestèrent leur contentement de retrouver Louise et Ambre lui posa le bébé sur les genoux.

Roland se tenait légèrement à l'écart et, en regardant par hasard dans sa direction, la jeune fille s'aperçut qu'il la contemplait d'un air songeur, un demi-sourire errant sur ses lèvres. Un frisson involontaire la parcourut. Roland Winterhaven lui donnait l'impression de n'avoir pas dit son dernier mot.

— Et maintenant, les enfants, vous avez assez ennuyé Miss Peterson, décréta soudain Ambre. Vous allez vous coucher. Où est Pippa ?

La jeune femme que Louise avait entrevue à Londres apparut juste alors et Ambre s'écria :

— Vous arrivez à point, Philippa. Venez que je vous présente Louise.

Philippa Best considéra Louise d'un œil critique, mais elle lui sembla amicale. Elle la débarrassa de Melissa et entraîna les trois autres enfants hors du bureau.

— C'est une perle, commenta Ambre après son départ. J'espère que vous aurez l'occasion de bavarder ensemble pendant le dîner... si mes petits monstres la laissent tranquille !

Elle se tourna vers Roland, l'expression légèrement inquiète, comme si elle aussi se méfiait encore de ce qu'il pouvait entreprendre contre elle.

— Comment se fait-il que vous soyez déjà là ? Je croyais que vous étiez retenu à Paris toute la semaine.

— Je n'ai pas eu besoin de rester aussi longtemps, répondit-il laconiquement.

Ambre leva son verre et décocha un clin d'œil complice à Louise.

— Eh bien, à nous... et au futur !

Roland ne se mêla pas à la conversation des deux femmes. Appuyé à la cheminée, y jetant de temps en temps une bûche, ou remplissant de lui-même un verre vide, il se contentait d'observer Louise. Elle se sentait

54

très mal à l'aise sous son regard, au point de croire ses yeux posés sur elle-même quand ils ne l'étaient pas. Marie la délivra enfin en venant annoncer que le dîner était prêt.

En dépit des craintes de Louise, la tension ne subsista pas pendant le repas. La présence enjouée de Philippa y fut pour beaucoup. De son côté, Roland daigna se montrer un peu plus bavard.

A un moment, Ambre lança :

— Je suis sûre que Louise aimerait voir les tableaux que Peter a vendus aux d'Arbrisseau. Quand doivent-ils rentrer, le savez-vous, Roland ?

— Pas avant trois semaines, répondit-il.

— Et Chantal ? s'enquit Ambre avec un air qui intrigua Louise.

— En même temps qu'eux, je suppose.

— Avez-vous eu de-ses nouvelles ? insista-t-elle malicieusement.

— Une carte postale, déclara Roland, et une lettre. Elle s'amuse bien.

Ambre éclata d'un rire cristallin et s'adressa à Louise sur un ton plein d'humour :

— Chantal d'Arbrisseau est follement amoureuse de lui. Elle n'a que dix-huit ans, mais elle est très belle...

Elle jeta à Roland un coup d'œil en coin avant de continuer à le taquiner.

— Quant à lui, est-il amoureux d'elle ou pas ? C'est l'un de ses nombreux secrets !

Roland ne réagit pas à cette provocation et Louise dut reconnaître qu'il semblait très mystérieux. Comme il cachait bien ses vrais sentiments ! Son beau visage fier exprimait seulement ceux qu'il consentait à montrer.

Plus tard, après le café, Philippa prit poliment congé de la compagnie. Louise l'imita, repoussant aimablement l'offre d'Ambre de rester plus longtemps. Elle lui fit part de son désir de monter jusqu'à son atelier pour commencer à installer son matériel. Elle se garda bien d'ajouter qu'elle éprouvait aussi le besoin pressant d'échapper au regard de Roland.

Elle gravit d'un pas léger l'escalier en colimaçon et suivit l'étroit couloir qui menait à son domaine. Elle poussa l'épaisse porte en chêne, parcourut la pièce des yeux et aspira une grande bouffée d'air. On avait mis à sa disposition un atelier dans un château ! C'était trop beau ! Elle ne parvenait pas encore à y croire.

Elle choisit l'endroit le plus favorable pour poser son chevalet, sortit ses pinceaux et ses brosses, classa ses toiles par ordre de taille, puis elle prit son carnet de croquis. Tranquillement, en prenant plaisir à ce qu'elle faisait, elle dessina les enfants de mémoire, se rappelant leurs expressions si éloquentes. Et tout d'un coup, elle se surprit en train de reproduire une sombre silhouette d'homme aux cheveux noirs, aux prunelles brillantes et au menton volontaire.

Furieuse contre elle-même, elle déchira la page et referma le carnet. La fatigue s'abattit brutalement sur elle. Elle donna un dernier tour d'inspection à son atelier. A part son matériel, il était simplement meublé d'un divan et de deux chaises, mais pour elle il s'agissait du plus merveilleux endroit du monde. Elle rêvait de se mettre au travail. Lorsqu'elle quitta les lieux, elle fut étonnée de voir de la lumière dans l'escalier.

Elle attendit quelques instants pour permettre à ses yeux de s'habituer à l'obscurité du couloir. Au moment où elle esquissa un premier pas en avant, une main s'empara de son bras et la voix de Roland s'éleva tout près d'elle, terriblement railleuse :

— Ne prenez pas la peine de crier, personne ne vous entendra. Les murs ont soixante centimètres d'épaisseur.

Le hurlement de frayeur mourut sur les lèvres de Louise. Roland profita de l'effet de surprise pour rouvrir la porte de l'atelier et la pousser à l'intérieur.

Retrouvant brusquement sa présence d'esprit, la jeune fille rassembla ses forces pour s'arracher à lui.

Libre, elle se lança dans le couloir à l'aveuglette, se heurtant au mur. Roland la rattrapa facilement et, la soulevant sans cérémonie, il la jeta en travers de son épaule. Elle eut beau tambouriner des deux poings sur son dos, il la ramena là où il le désirait.

5

Affolée, humiliée, les yeux brûlants de larmes de rage, Louise se débattait en vain. Roland mit un temps interminable à refermer la porte de l'atelier derrière eux. Il tenait fermement la jeune fille aux genoux tandis que sa tête et ses bras bringuebalaient dans son dos comme ceux d'une poupée de chiffon. On ne pouvait concevoir une position plus ridicule. En traitant Louise ainsi, Roland lui ôtait jusqu'au dernier soupçon de dignité.

Il alluma la lumière et, d'une secousse négligente, il fit glisser sa victime à terre. Le sang qui lui était monté au visage s'en retira lentement, mais ses cheveux restèrent emmêlés. Elle était haletante, hors d'elle et terrorisée. Rejetant en arrière les mèches tombées sur sa figure, elle rencontra le regard de Roland et ne garda plus aucun doute quant à ses intentions.

Et pourtant, elle ne voulait pas céder, elle refusait d'écouter la voix de la raison. Elle ne partirait pas, elle ne donnerait pas à cet insolent individu la satisfaction d'avoir gagné la partie. Un regain imprévu d'énergie lui permit de s'échapper de ses bras et, tout en sachant qu'elle n'était que provisoirement délivrée, elle tourna dans la pièce à la recherche d'un objet susceptible de lui servir d'arme contre lui. Il n'y avait rien.

Roland ne bougeait pas. Il se contentait de l'observer, le sourire aux lèvres, s'amusant de sa panique. Il lui barrait le passage vers la porte et les fenêtres n'offraient aucune possibilité de fuite. Louise était prise au piège. La faute lui en revenait entièrement. Pourquoi avait-elle annoncé devant Roland qu'elle montait dans son atelier ? Elle lui avait fourni l'occasion rêvée de mettre sa menace à exécution.

— Vous vous trompez si vous croyez pouvoir me chasser en vous comportant d'une façon aussi odieuse ! lança-t-elle, étonnée elle-même de son courage. Plus vous vous acharnez sur moi, plus vous renforcez ma détermination à rester. Et maintenant, ayez la bonté de vous pousser et de me laisser gagner ma chambre.

Il haussa les sourcils d'une manière moqueuse.

— Je ne savais que vous étiez en mesure de me donner des ordres !

Son sourire lui conférait un air presque diabolique, songea Louise. Elle essaya de se persuader qu'il tentait uniquement de l'intimider, qu'il n'oserait pas passer aux actes. Toutefois, son cœur s'obstinait à battre à grands coups précipités.

— Cette situation est grotesque, affirma-t-elle avec impatience. De quel droit contrecarrez-vous les plans d'Ambre, ou les miens ? Si c'est là votre seule manière de manifester votre volonté, vous n'êtes pas un homme !

A ces mots, il se dirigea vers elle et elle craignit d'être allée trop loin. Il ne tarderait pas à lui prouver le contraire. Il se tenait tout près d'elle et pourtant, elle ne s'écartait pas. Ses jambes refusaient de la porter, une soudaine faiblesse s'était emparée d'elle.

— Derrière vos airs doux et timides, vous ne manquez pas d'aplomb, reconnut-il non sans une certaine admiration.

Il n'esquissait toujours aucun geste vers elle. Il se bornait à l'étudier puis, croisant les bras, il déclara sur un ton plus aimable :

— Si je vous disais que j'ai une raison tout à fait

particulière pour vouloir qu'Ambre retourne en Angleterre, une raison importante pour le bonheur de plusieurs personnes, dont elle, accepteriez-vous de coopérer avec moi ?

Surprise par ce changement d'attitude, Louise n'en perdit pas pour autant sa méfiance.

— Vos travaux sont donc un prétexte ? s'enquit-elle.

— Pas exactement. Il y a vraiment des choses à faire dans ce château.

— Mais Ambre ne doit pas connaître votre vrai motif ?

— Non, répondit Roland.

— Pourquoi ?

Louise était convaincue de la justesse de la supposition d'Ambre. Roland avait invité une jeune femmme.

— Je ne peux pas vous en confier plus, rétorqua-t-il.

— Après toutes les histoires que vous m'avez racontées jusqu'ici, vous ne pouvez pas espérer que je vous fasse aveuglément confiance.

— Il s'agit d'une situation très délicate...

— Dès qu'une femme est en jeu, c'est souvent le cas, coupa brutalement Louise.

Roland parut décontenancé et il le méritait, jugea-t-elle. De plus en plus audacieuse, elle ajouta :

— Je ne suis pas stupide, et Ambre non plus. Remettez votre rendez-vous ou arrangez-vous autrement.

— Il n'y a pas de rendez-vous, affirma-t-il, mais Louise était persuadée qu'il mentait.

Il insista pourtant, s'efforçant de se montrer persuasif :

— Si vous partiez, Ambre s'en irait aussi. Vous reviendrez un peu plus tard. Je me charge d'assurer votre retour.

— Non, s'obstina Louise, je ne partirai pas. Et d'ailleurs, quelle raison donnerais-je à Ambre ? Lui dirais-je que vous m'avez menacée de me...

Avec un petit rire de gorge, Roland l'interrompit :

— Peut-être lui rapporterez-vous aussi comment vous m'avez cédé !

— Vous êtes monstrueux ! s'exclama la jeune fille, prise entre la peur qu'il lui inspirait et le désir de lui résister coûte que coûte.

— Et vous, vous êtes têtue, répliqua-t-il du tac au tac.

Ivre de colère, elle serra les dents.

— Vous avez sans doute pensé que je m'enfuirais au premier geste de violence. Eh bien, non, je suis désolée de vous décevoir ! Je ne disparaîtrai pas au milieu de la nuit comme vous le souhaitez. Cette commande a beaucoup d'importance pour moi et je n'ai pas l'intention de la perdre. Contrairement à ce que vous prétendez, Ambre ne me rappellera plus auprès d'elle si je m'en vais. Je ne trahirai pas sa confiance à cause d'une affaire mystérieuse dont vous ne voulez pas me parler. D'ailleurs, je ne vous crois pas. Ou bien vous avez un rendez-vous galant, ou bien vous êtes tellement imbu de votre autorité que vous ne tolérez pas les projets des autres.

Se tenant bien droite devant lui, elle répéta :

— Je ne m'en irai pas, quoi qu'il en soit.

Roland s'amusait de son comportement. Elle aurait dû le trouver révoltant avec son sourire moqueur. Elle se surprit au contraire à le juger séduisant... dangereusement séduisant.

— Je vais finir par croire que vous seriez ravie si je mettais ma menace à exécution ! railla-t-il en promenant ses yeux sur tout son corps. Vous attendez peut-être avec impatience que je vous prenne dans mes bras !

A cette insinuation, Louise s'enflamma. Elle fit un pas en avant et leva la main si rapidement que son adversaire n'eut pas le temps de l'arrêter. Il reçut une gifle retentissante. Ensuite, elle recula de nouveau, épiant sa réaction avec inquiétude.

Elle avait agi impulsivement et un tel acte risquait de le déchaîner contre elle. Il avait tenté de la convaincre par des moyens plus pacifiques mais cette fois, il allait sans doute la punir. Pétrifiée, elle le vit passer ses doigts sur la marque rouge qui barrait sa joue.

— Petit démon ! murmura-t-il, une lueur vindicative dans les yeux. J'ai bien envie de vous donner une leçon.

— Pourquoi ? Parce que vous m'avez insultée ? rétorqua-t-elle avec humeur.

Il ne bougea ni ne répondit. Il se contenta de la fusiller du regard. A la grande surprise de Louise, un sourire éclaira soudain son visage :

— A peine vous taquine-t-on et vous frappez ! J'ai l'impression que je me suis attaqué à plus fort que moi !

Il éclata de rire, puis son expression se durcit de nouveau.

— Très bien, restez. Heureusement pour vous, votre conscience ne sera pas tourmentée durant le restant de votre vie par les conséquences de votre entêtement. Vous ne vous doutez même pas de ce que vous faites.

Sur ces paroles, il tourna les talons et quitta l'atelier. Il fallut quelques instants à Louise pour croire à son départ. Ses propos énigmatiques résonnaient encore à ses oreilles. Malgré sa victoire, elle ne pouvait se défendre d'un certain malaise. Elle s'efforça de le dissiper. N'ayant pas réussi à la chasser par la force, Roland avait sans doute essayé une ruse psychologique.

En dépit des minutes éprouvantes qu'elle venait de vivre, elle dormit d'un sommeil profond cette nuit-là, tant elle était épuisée physiquement et moralement. Elle fut réveillée par une domestique qui tirait les rideaux et ouvrait les volets de sa chambre. Ce n'était pas Marie mais une autre jeune fille qui lui souriait gentiment tandis qu'elle se redressait à regret dans son lit.

— Bonjour, mademoiselle, fit-elle aimablement. Je m'appelle Céleste.

— Bonjour, Céleste, répondit Louise en bâillant. Quelle heure est-il ?

— Il est huit heures.

Huit heures ! D'habitude, Louise se levait bien plus tôt.

— Prendrez-vous le petit déjeuner dans votre chambre, mademoiselle ?

— Est-ce la coutume ? s'enquit Louise. Je ne voudrais pas causer de dérangement.

— Oui, assura Céleste. A part M. Roland, tout le monde le fait. Lui, il est déjà parti quand les domestiques prennent leur service.

— La propriété lui donne beaucoup de travail, suggéra Louise.

— En effet, et il ne se ménage pas, expliqua Céleste, ses yeux marron brillant d'une admiration non déguisée.

En attendant son petit déjeuner, Louise resta paresseusement allongée à contempler les moulures du plafond. Elle frémit en se rappelant les événements de la soirée précédente. Puis, après quelques instants de réflexion, elle se prit à sourire. Elle s'était affolée inutilement. Jamais Roland n'avait eu l'intention de mettre sa menace à exécution. Il s'était seulement efforcé de lui faire peur et, devant sa résistance imprévue, il avait cédé. Peut-être n'était-il pas l'ogre qu'elle imaginait. Elle regrettait presque de l'avoir giflé. Et pourtant, il le méritait !

Céleste revint avec un plateau et tout en dégustant des croissants encore chauds, Louise apprit que le personnel du château était composé, outre la jeune fille, de Marie, d'une cuisinière, d'une femme de ménage et du vieil Henri. Céleste ne tarissait pas d'éloges à propos de ses patrons.

— Je ne voudrais travailler pour personne d'autre, confia-t-elle à Louise. J'espère qu'ils se marieront bientôt. Ce serait merveilleux !

Avec une pointe d'hostilité, elle ajouta :

— Je n'aime pas du tout Chantal d'Arbrisseau. Elle est vaniteuse et insupportable. Si M. Roland l'épouse, je partirai.

— Il est peut-être amoureux d'elle, glissa Louise en goûtant son café.

Debout devant elle, les mains sur les hanches, Céleste déclara très fermement :

— Non, il aime Madame. Il l'a toujours aimée, tout le monde le sait. Mais elle veut rester fidèle à M. Peter. C'est dommage. Elle changera peut-être un jour, je le souhaite.

Céleste poussa un soupir sentimental puis, regardant sa montre, elle changea d'expression et quitta Louise à la hâte.

La jeune fille médita ses paroles et se demanda si Roland s'apercevait qu'Ambre était prête maintenant à retomber amoureuse.

Lorsque Céleste revint chercher le plateau, Louise était habillée. Elle noua un ruban orange dans ses cheveux et décida de commencer sa journée en exécutant des croquis.

Tandis qu'elle montait dans la tour pour aller prendre son carnet et ses crayons, les souvenirs de la soirée précédente se firent plus précis. Elle croyait sentir la présence de Roland et elle ouvrit la porte de l'atelier en tremblant. Debout au milieu de la pièce, les paupières mi-closes, elle parvint presque à revivre leur violente altercation. La détermination avec laquelle elle avait résisté l'étonnait encore. La dernière remarque de Roland la hantait. Pourquoi ne devrait-elle pas avoir la conscience tranquille ? S'il avait une raison importante pour souhaiter son départ, il la lui aurait révélée, décida-t-elle.

Chassant ses scrupules, Louise descendit dans le jardin. Elle y trouva Ambre qui, à sa grande surprise, ne reposait pas dans une chaise longue. En pull, jean et bottes de caoutchouc, elle soignait les fleurs. Melissa était près d'elle dans son landau et un peu plus loin, Angela jouait avec une pelle.

Ambre abandonna son travail dès qu'elle aperçut son invitée.

— Bonjour ! Comment allez-vous ce matin, Louise ? Avez-vous bien dormi ?

— Trop bien, répondit-elle. Jamais je ne me lève aussi tard. Je...

Ambre ne lui permit pas de s'excuser :

— Vous êtes en vacances. Edgar m'a dit que vous avez besoin de repos. Dormez autant que vous voudrez, cela vous fera du bien.

— Edgar me couve trop, déclara Louise qui se sentait très en forme.

Ambre l'entraînait déjà :

— Venez, je vais vous montrer mon jardin.

Elle fit visiter à Louise tout le parc qui entourait le château, et ce fut seulement en arrivant au lac qu'elle remarqua le carnet de la jeune fille.

— Je vois que vous avez l'intention de vous mettre tout de suite au travail.

— J'avais en effet envie de croquer quelques scènes pour me mettre dans l'ambiance.

— Comme il vous plaira, Louise. Allez où bon vous semble. Selena et Simon font probablement du cheval à l'heure qu'il est, quant à...

Un éclat de rire l'empêcha un instant de parler.

— Quant à Angela, elle doit sûrement avoir creusé un énorme trou dans la plate-bande. Il faut que je retourne la surveiller, ainsi que Melissa.

— Je vais continuer à me promener, annonça Louise. Il fait si beau.

— Une chose encore, ajouta Ambre. Il faut que je prenne un rendez-vous avec le maire au sujet du portrait de Peter. Vous avez besoin de vous mettre d'accord avec lui sur certains points.

Elle regarda Louise droit dans les yeux en précisant :

— Ne lui demandez pas une somme trop modeste. Plus vous serez chère, plus il vous respectera ! J'espère que nous pourrons le voir dès demain.

Louise hocha la tête en signe d'acquiescement. Elle

n'était pas très rassurée, mais Ambre semblait tenir absolument à l'imposer à la place d'un autre peintre.

Un peu plus tard, installée devant le château, elle s'efforça de saisir les attitudes des enfants jouant sur la pelouse proche. Soudain, une ombre tomba sur sa feuille et, levant la tête, elle découvrit Roland. Un frisson d'anxiété la parcourut. Qu'allait-il se passer entre eux ce matin ?

Il la considéra un long moment avec une intensité gênante, puis demanda le plus naturellement du monde :

— Déjà au travail ?

— Oui, murmura-t-elle, contrôlant de son mieux les inflexions de sa voix. Je fais quelques croquis préliminaires.

Roland la fixait toujours et il était impossible de déchiffrer ses pensées. Louise sentait seulement qu'en dépit de leur opposition, un courant de sentiments étranges et troublants circulait entre eux.

Roland ne s'attarda pas. Après son départ, Louise eut l'impression d'avoir été secouée par un ouragan et pourtant, on ne pouvait imaginer journée plus calme que celle-là.

Incapable de se remettre à dessiner, elle fut ravie de voir venir Philippa. Au cours d'une conversation animée, la jeune fille lui parla plus en détail de ses fonctions dans la famille Winterhaven.

— Vous avez fort à faire, lança Louise en riant.

— Oui, parfois c'est terrible ! accorda-t-elle. Mais ces quatre enfants sont très attachants et j'aime m'occuper d'eux. Quant à Ambre, elle est charmante. Il ne faut pas se fier à ses airs un peu superficiels. C'est une mère merveilleuse, d'un dévouement sans bornes. Elle ne pense pas qu'à sortir et à s'amuser. Même du temps de Sir Peter, elle ne se montrait pas frivole.

Philippa poussa un soupir.

— Et lui, il était si bon... Je ne sais pas comment m'exprimer, il me semble pourtant que personne ne le connaissait vraiment. Il était presque trop bon, à croire qu'il y avait quelque chose de faux en lui. Il jouissait d'un respect immense ici dans la région. Il passait pratiquement pour un saint.

— Et on a du mal à accepter que quelqu'un soit parfait, glissa Louise.

— Oui, vous avez raison. J'ai tort de mettre en doute ses qualités. Après tout, il a été un vrai héros et un philanthrope. Savez-vous qu'il a sauvé tout le village d'une mort certaine pendant la guerre ?

Louise secoua la tête.

— Non, je n'ai pas encore eu le temps de lire sa biographie. Je suis un peu intimidée à l'idée de faire le portrait d'un homme pareil, confessa-t-elle.

— Si vous voulez en savoir plus sur lui, adressez-vous à Henri... ou mieux encore, à Roland. Personne n'a été plus proche de Sir Peter. Mais attention, ne tombez pas amoureuse de lui !

Un sourire malicieux éclaira le visage de Philippa.

— Amoureuse de Roland ! s'écria Louise. Il n'y a aucun risque.

— Vous ne seriez pas la première, assura son interlocutrice. Je l'ai aimé à la folie pendant des années, mais il ne m'a même pas regardée. De toute façon, la femme qui remporterait le moindre succès auprès de lui aurait affaire à Chantal !

— Chantal d'Arbrisseau ?

— Elle-même. Vous comprendrez quand vous la rencontrerez. Elle voyage actuellement en Amérique avec sa famille, mais si vous êtes encore là à son retour, vous aurez droit à sa méfiance comme les autres. Elle est jalouse comme une tigresse. Tenez-vous sur vos gardes. Ne vous approchez pas trop de Roland en sa présence !

Philippa éclata d'un petit rire ravi.

— Tout ne se passe pas tout à fait comme elle le désire. Elle n'arrive qu'en seconde position et je suis sûre qu'elle en est folle de rage. Elle ne s'avouera pas vaincue tant que Roland n'aura pas épousé Ambre.

— Elle n'a pourtant aucune chance, ce mariage n'est qu'une question de temps, déclara Louise, se souvenant des propos de Céleste.

— Tout le monde le croit, en effet, accorda Philippa. Rien que d'imaginer cette passion qui couve, j'en ai des frissons !

Louise se demanda comment aurait réagi son interlocutrice si elle avait assisté à la scène qui l'avait opposée à Roland la veille au soir dans l'atelier.

La jeune employée continuait, infatigable :

— Du temps de Sir Peter, Ambre n'a jamais regardé un autre homme. Roland la considérait comme une sœur. Mais au village, les gens pensent qu'il l'aime et que jusqu'à présent, il a caché ses vrais sentiments. L'avenir nous dira qui a raison. Pour ma part, je suis persuadée que de nouveaux événements se produiront après les cérémonies organisées à la mémoire de Sir Peter.

— N'y a-t-il pour le moment rien entre Ambre et Roland ? s'enquit Louise.

— Je l'ignore, avoua Philippa en haussant les épaules. Ambre est encore perturbée et malheureuse, mais elle refait surface tout doucement. Après les cérémonies, je suis certaine qu'elle se sentira libre de s'attacher à un autre homme. Roland attend. Il ne veut pas la brusquer.

Sur ces mots, Philippa se leva.

— Nous bavardons et l'heure tourne. Il faut que je rassemble mon petit monde pour le déjeuner. Je vous reverrai à table.

Elle laissa Louise qui resta songeuse à réfléchir à leur conversation.

Le soir, Ambre sortit des photographies de Peter et, pour la première fois, Louise vit l'homme dont elle allait peindre le portrait.

— Votre travail va-t-il être très difficile, Louise ? s'enquit la jeune femme avec sollicitude.

Elles étaient confortablement installées dans le salon. Roland les avait quittées sans explication après le dîner et Philippa s'était retirée dans sa chambre pour écrire des lettres.

— Ce sera difficile, avoua franchement Louise en poussant un soupir, mais pas impossible.

— Gardez les albums, lui dit Ambre. Je crois pour ma part vous avoir parlé de mon mieux de Peter. Roland pourrait vous être aussi utile aussi... s'il le voulait bien. Hélas, pour le moment, il est encore fâché contre moi.

Louise ne répondit pas. Elle se borna à espérer qu'avec le temps, Roland accepterait la situation et se montrerait coopératif.

Le matin suivant, Ambre annonça à Louise qu'elle avait obtenu un rendez-vous avec le maire pour le lendemain après-midi. Mais ce jour-là, elle dut garder le lit à cause d'une migraine et Philippa descendit apprendre à Louise qu'elle avait ordre d'annuler leur visite. Roland arriva dans le hall au moment où elles se concertaient et il les interrompit :

— Un instant...

Philippa se tourna vers lui d'un air interrogateur.

— J'emmène Louise chez le maire, déclara-t-il.

— Ambre aurait sûrement voulu... commença la jeune employée.

D'un regard, Roland la réduisit au silence.

— Nous nous débrouillerons très bien, Louise et moi. Le maire n'apprécierait pas qu'on lui fasse faux bond.

Sa position ne lui permettant pas de discuter, Philippa jeta un coup d'œil éloquent à Louise. Celle-ci eut le sentiment qu'une fois de plus, Roland intervenait d'une manière autoritaire dans une affaire qui ne le concernait pas directement. Ambre risquait de prendre ombrage de son initiative.

Durant tout le déjeuner, elle réfléchit au problème et. en sortant de table, elle décida de monter chez Ambre. Elle ne partirait pas avec Roland sans son approbation. On pouvait encore annuler le rendez-vous si la jeune femme le souhaitait. Contrairement à toutes prévisions, Ambre se montra ravie de l'offre de Roland.

— Très bien, fit-elle d'une petite voix souffreteuse. J'étais très ennuyée de devoir remettre cette entrevue et je ne pouvais pas vous laisser y aller seule. Défendez vos intérêts, Louise. Roland vous aidera, j'en suis sûre.

Avec un sourire heureux, elle ajouta :

— Ce geste signifie certainement qu'il m'a pardonné.

Louise n'en était pas convaincue, mais elle espérait qu'Ambre avait raison. Un peu plus tard dans l'après-midi, elle se trouva assise auprès de Roland dans sa puissante voiture grise. Un silence pesant s'était instauré entre eux et Roland ne le rompit qu'en arrivant au village pour déclarer :

— Voici la mairie et nous sommes juste à l'heure.

L'horloge de l'édifice se mit à sonner à cet instant précis et Louise eut l'impression qu'elle marquait le moment de sa condamnation à mort. Elle appréhendait de rencontrer le maire qui lui préférait un autre peintre. Oh, pourquoi n'était-elle pas accompagnée par Ambre ? La présence de Roland ne contribuait absolument pas à la rassurer. Elle ne savait même pas s'il se comporterait comme un allié ou un ennemi durant l'entretien.

Elle trembla intérieurement tandis qu'elle gravissait l'imposant escalier, et elle pénétra dans la salle du conseil, la gorge nouée. Le maire et ses adjoints la considérèrent avec une curiosité mêlée d'admiration.

Parlant français bien mieux qu'elle, Roland se chargea de mener les négociations à sa place, et elle se contenta de glisser de temps à autre un mot dans la discussion. Très vite, Louise se rendit compte que personne ne lui était farouchement hostile.

On lui montra l'endroit prévu pour y accrocher le portrait de Sir Peter et on débattit avec elle de la taille du tableau. Le maire souhaitait une toile de grandes dimensions et il enveloppa la frêle silhouette de Louise d'un regard assez dubitatif. Prenant son courage à deux mains, la jeune fille affirma qu'elle ferait exactement ce qu'il désirait. A son tour, le maire lui accorda en souriant la somme qu'elle demandait.

Tout le monde lui serra la main pour finir et Louise sortit avec le sentiment de s'être bien tirée de cette affaire. Roland lui-même daigna commenter lorsqu'ils arrivèrent au bas de l'escalier :

— Vous avez fait d'eux ce que vous avez voulu. Mes félicitations ! Les Français sont à vos pieds ! Une jolie femme gagne toujours avec eux.

— J'espère que je leur donnerai satisfaction avec le tableau, répliqua Louise.

— Comment ? Doutez-vous de votre réussite ?

— Je suis un peu inquiète, admit Louise. Pour le moment, Sir Peter reste très abstrait pour moi. J'aurais besoin de l'imaginer en chair et en os. Je ne veux pas exécuter une simple copie de photographie. Je voudrais peindre l'homme lui-même.

Elle n'espérait guère être comprise de Roland et il l'étonna en suggérant :

— Seriez-vous gênée parce que vous ne pouvez pas vous faire votre propre opinion sur lui ?

— Oui... exactement. Et pourtant, je ne prétends pas être un juge infaillible des personnalités.

— Vos tableaux à l'exposition prouvaient une grande intuition.

Cette déclaration la surprit plus encore. L'autre jour, à la galerie, Roland lui avait donné l'impression d'accompagner Ambre sans s'intéresser lui-même à ses toiles.

A présent, il fixait Louise d'un regard songeur,

comme s'il était en train de réfléchir avant d'ajouter quelque chose. Louise ne sut jamais ce qu'il voulait dire car une voix s'éleva soudain de l'autre côté de la place :

— Roland !

Ils se retournèrent et Louise vit une grande jeune fille aux cheveux bruns accourir vers eux à la manière d'une gazelle agile. Lorsqu'elle arriva devant Roland, ne se souciant nullement de la présence d'une femme à ses côtés, elle se dressa sur la pointe des pieds et l'embrassa sur la bouche.

— Roland, mon chéri...

Sa voix était vibrante et ses yeux sombres le dévoraient d'une façon possessive.

Louise s'aperçut que Roland refermait les bras sur elle. Il n'avait de toute évidence pas prévu cette rencontre et il se trouvait pris au dépourvu.

Comme une conversation animée s'engageait entre eux, Louise recula discrètement. Finalement, Roland la désigna à son interlocutrice et celle-ci consentit enfin à la remarquer. Elle tenait Roland par le bras et lui jeta un dernier coup d'œil plein d'adoration avant de se tourner vers Louise.

Roland fit les présentations, et la jeune Anglaise dut subir l'inspection sans indulgence de Chantal d'Arbrisseau. Elle se sentit terne et démodée en face de cette créature habillée avec une élégance encore plus raffinée qu'Ambre. Son tailleur bordeaux, son chemisier en soie beige et ses hautes bottes réussirent à inspirer de la jalousie à Louise. De quoi avait-elle l'air à côté dans son banal ensemble en tweed ?

— Enchantée, mademoiselle, fit Chantal en lui serrant la main.

Son regard démentait l'amabilité de ses paroles et elle accordait déjà à nouveau toute son attention à Roland. Louise comprit soudain pourquoi celui-ci avait paru si surpris. Chantal d'Arbrisseau aurait en principe dû se trouver en vacances aux Etats-Unis.

— J'ai été ravie de découvrir qu'Ambre est déjà de

retour, déclara-t-elle. Nous revenons toutes plus tôt que prévu ! Vous ne vous attendiez pas à nous voir, Roland, n'est-ce pas ?

Son regard chargé de méfiance retomba sur Louise, puis elle releva vers Roland des yeux lumineux.

— Nous passions des journées fantastiques en Amérique, mais nous avons dû abréger notre voyage à cause de papa. Son exposition est avancée.

Elle poussa un soupir.

— Enfin, je vais le persuader d'aller à Cannes pour quelques semaines. Vous descendrez nous voir, chéri ?

— J'ai beaucoup de travail en ce moment, affirma Roland d'un air évasif.

Le culte que lui vouait Chantal semblait lui causer plus de gêne que de satisfaction.

— Je ne vous crois pas ! lança celle-ci en minaudant. Je suis sûre que vous aurez le temps de venir. Vos vignes sauraient certainement pousser comme celles de papa sans que vous vous occupiez d'elles !

— Vous atteignez l'âge adulte, mais vous vous comportez en gamine, lui reprocha Roland sur un ton un peu sévère.

— Je suis une adulte ! rétorqua Chantal avec force. Et vous le savez très bien, Roland, ajouta-t-elle d'une petite voix de conspiratrice en jetant un regard dédaigneux en direction de Louise.

Roland consulta sa montre avec une insistance délibérée et annonça :

— Je suis désolé, Chantal, mais nous allons devoir vous quitter. Vous n'avez pas besoin que je vous raccompagne, je suppose ?

— Non...

Son regard intrigué enveloppa de nouveau Louise, et la jeune fille put y lire à livre ouvert. Elle se demandait si elle avait affaire à une rivale et cette crainte l'animait d'une hostilité non déguisée et étrangement intense.

— Il faudra organiser une petite soirée, Roland,

maintenant que nous sommes tous de retour, proposa-t-elle d'une voix persuasive. J'en parlerai à maman.

Elle poussa un soupir théâtral.

— Ah, n'importe quoi pour rompre la monotonie de ces journées !

Puis elle demanda sur un ton désinvolte :

— Et comment va Ambre ?

— Elle souffre de migraine aujourd'hui.

— La pauvre ! Elle a souvent mal à la tête, observat-elle, s'arrangeant pour présenter cette indisposition comme un défaut d'Ambre.

Roland ouvrit la portière de sa voiture, invitant Louise à y prendre place. De son siège, celle-ci vit la jeune fille embrasser de nouveau Roland avec un sans-gêne qui la laissa songeuse. Se conduisait-elle ainsi devant Ambre ?

Elle agita ensuite négligemment la main en direction de Louise en exprimant le souhait mensonger de la revoir.

Roland se glissa à son tour dans le véhicule et démarra sans dire un mot. L'esprit vide, Louise garda le silence. Son compagnon lui paraissait tendu et préoccupé. Il n'avait sûrement pas envie d'échanger des banalités avec sa passagère. De toute évidence, la rencontre avec Chantal avait chassé sa bonne humeur. L'entrevue réussie avec le maire et ses adjoints semblait déjà bien loin.

Analysant la situation, Louise estima que Roland occupait une position délicate, entre Ambre et Chantal. Peut-être y avait-il même une troisième personne dans sa vie, comme Ambre l'avait envisagé ? Il souhaitait certainement épouser la jeune femme. Quant à Chantal, entière et ardente comme elle se montrait, il jugeait probablement prudent de garder ses distances avec elle. Cela ne l'empêchait pas d'avoir d'autres aventures, des aventures qui nécessitaient de faire le vide dans le château. C'était vraiment étrange. Louise ne comprenait toujours pas pourquoi Roland avait déployé tant d'efforts dans ce but.

Ils avaient atteint l'entrée de la propriété. La voiture s'engagea sur une voie secondaire car Roland voulait passer chez des employés. Louise l'attendit dans le véhicule. Au bout de quelques minutes, il sortit de la maison où il était entré avec un homme et une femme. Il plaisanta encore avec eux pendant quelques instants avant de les quitter. A en juger d'après les faces rayonnantes du couple, il venait de leur accorder une immense faveur. Par timidité, Louise réprima la curiosité de le questionner.

Quelques minutes plus tard, ils arrivaient au sommet d'une colline. Au terme de la montée abrupte, le moteur de la voiture toussa soudain, s'étrangla et s'arrêta.

— Bon sang ! s'exclama Roland.

Il se tourna vers Louise et déclara :

— Nous n'avons pas de chance ! C'est exactement la même panne qu'avec Ambre l'autre jour. Le garagiste n'en a pas trouvé l'origine et il a pensé qu'il s'agissait d'une poussière dans le réservoir à essence.

Il essaya en vain de remettre le moteur en marche. Sortant de la voiture, il alla jeter un coup d'œil sous le capot et revint en concluant sur un ton excédé :

— Je ne trouve rien.

De là où ils se trouvaient, le château était hors de vue mais, durant la montée, Louise l'avait aperçu entre les arbres.

— Nous ne sommes pas très loin de la maison, n'est-ce pas ? lança-t-elle.

— Non, pas très loin, accorda Roland.

Il réfléchit un instant, puis ajouta d'un air décidé :

— Je perdrai probablement mon temps à essayer de comprendre ce qui arrive à cette voiture. C'est l'affaire du garagiste. Il faudra qu'il la révise entièrement. Nous allons l'abandonner ici et rentrer à pied. Cela ne vous dérange pas trop ?

— Pas du tout, j'adore marcher, s'empressa d'affirmer Louise.

Elle descendit du véhicule. Le soleil venait de se coucher et à l'horizon, le ciel gardait encore une délicate teinte dorée. Elle contempla un instant ce spectacle.

— On dirait un tableau, murmura Roland tout près d'elle.

— Oui, c'est exactement ce que je pensais.

Elle le considéra un instant avec surprise.

— Mais quelle difficulté pour reproduire ces couleurs! Elles changent... se mêlent... La nature est une bien meilleure artiste que le plus doué des humains.

— Vous n'aimez pas particulièrement peindre les paysages?

— Si, parfois. Je compte en faire quelques-uns durant mon séjour, si j'en ai le temps.

— Vous trouverez un acheteur empressé en la personne du général d'Arbrisseau, annonça Roland avec une pointe de dédain. C'est un avide collectionneur d'art.

— Le père de Mlle d'Arbrisseau? s'enquit Louise.

— Oui, le général Raoul d'Arbrisseau. Il va bientôt exposer les tableaux qu'il a achetés à Peter. Il est très fier de sa collection privée.

Louise discerna une note de condamnation dans les propos de Roland. Il semblait hostile à la fois à l'exposition et au général lui-même. Il la regardait et paraissait sur le point d'ajouter quelque chose, puis il se détourna brutalement.

— Venez, sinon il fera tout à fait noir avant que nous soyons rentrés.

Ils se mirent en route et le silence se glissa entre eux comme un mur. Au bout d'un bref moment, Roland déclara :

— Nous pouvons couper par les bois. La route nous entraînerait à des détours.

Il s'engagea sur un petit sentier parmi les arbres, et

Louise le suivit à contrecœur. Elle se rendit compte qu'elle n'éprouvait toujours aucune confiance à l'égard de cet homme étrange et imprévisible.

Après une dizaine de mètres, comme elle restait derrière lui, il se retourna.

— Qu'y a-t-il ? Irais-je trop vite pour vous ?

— Non.

Il lui décocha un sourire ironique.

— Auriez-vous peur de moi ?

— Oui ! rétorqua-t-elle.

Avec ses manières de s'amuser d'elle, il avait le don de la mettre en colère.

— Vous n'avez plus rien à craindre, assura-t-il. Je vous demande pardon pour ma conduite passée. D'ailleurs vous m'avez très bien rendu la monnaie de mà pièce et je le méritais. Je vous avais sous-estimée. Je n'essayerai plus de me moquer de vous, Louise, je vous le promets. Je ne vous veux pas de mal. Allons, venez...

Louise restait clouée sur place. Roland lui avait fait des excuses ; elle en était sidérée.

Il vint la chercher et la prit par la main comme une enfant désobéissante. Instinctivement, elle se débattit, mais il refusa de la lâcher. En essayant de se délivrer, elle trébucha sur une pierre et perdit l'équilibre. Par réflexe, Roland la reçut dans ses bras.

Le premier instant, ils se raidirent tous les deux à ce contact inattendu. Ensuite, leurs yeux se rencontrèrent et ne se quittèrent plus. Ce qu'ils exprimaient différait totalement de l'hostilité des débuts et effrayait encore plus Louise.

Lentement, Roland se pencha vers elle et l'embrassa. Il ne s'agissait plus d'un baiser motivé par le mécontentement, destiné à révolter Louise et à la convaincre de quitter un château habité par un goujat. Non, celui-ci était d'une tendresse si exquise que la jeune fille, malgré son désir de résister, se sentit fondre comme la glace au soleil. Cette incroyable douceur la désarmait totalement, et elle ne pouvait empêcher ses lèvres de répondre à celles de son compagnon. Il ne la tenait plus comme une prisonnière mais comme une fleur délicate, et elle s'abandonnait à son étreinte.

Lorsqu'il s'écarta enfin d'elle, elle le regarda un peu éblouie, ne pouvant cacher son étonnement. Retrouvant enfin l'usage de la parole, elle murmura d'une voix altérée par l'émotion :

— Vous avez changé de rôle, semble-t-il !

Un lent sourire apparut aux coins de la bouche de Roland. La dureté et l'arrogance ayant déserté son visage, une grande tendresse émanait de ses traits, éclairés par une pointe d'espièglerie dans les yeux.

— Pas vraiment, répondit-il. Je voulais seulement vous montrer que je ne suis pas toujours l'homme brutal que vous croyez.

6

En se changeant pour le dîner, Louise réfléchissait.
Jamais un homme ne l'avait plongée dans un trouble
aussi profond que Roland Winterhaven. Elle le trouvait
nettement antipathique, se méfiait de lui à l'extrême et
pourtant, elle avait été incapable de lui résister.

Etait-ce vraiment le même être qui s'était violemment emparé d'elle dans l'atelier et s'était montré si
tendre dans les bois ? Lequel des deux était le véritable
maître du domaine des Ormeaux ?

Elle revêtit une robe en crêpe bleu dont les poignets
et le col blancs lui donnaient l'air d'une petite fille très
sage. En s'examinant dans la glace, elle poussa un
soupir. Comme elle était loin de l'élégance d'Ambre
Winterhaven, ou du chic de Chantal d'Arbrisseau ! Ces
deux femmes ne se ressemblaient pas du tout et il était
étonnant de penser que Roland s'intéressait à des
personnes aussi différentes. Louise se surprit à espérer
qu'il finirait par épouser Ambre.

Pendant qu'elle se coiffait et se maquillait, l'après-
midi qu'elle avait vécu ressuscitait dans sa mémoire.
Elle croyait encore sentir les lèvres de Roland sur les
siennes. Elle regretta la force inconsciente qui l'avait
poussée à répondre à son baiser. Il s'enorgueillissait
sûrement d'avoir su plaire à une autre encore, et

surtout à une femme qui ne lui avait manifesté jusqu'a-
lors que de l'hostilité.

— Combien sont-elles à rêver de vous et à attendre
vos faveurs ? lança-t-elle à son reflet dans la glace
comme si elle parlait à Roland. En tout cas, ne comptez
pas sur moi pour rejoindre la foule de vos admiratrices.

Jetant un coup d'œil à sa montre, Louise s'aperçut
que ses songeries la mettaient en retard. Elle poudra
rapidement ses joues et descendit. Elle arrivait au bas
de l'escalier quand Henri traversa le hall. Le domestique ne la vit pas. Il lui parut pressé.

— Bonsoir, Henri, dit-elle, mais comme il était un
peu dur d'oreille, il ne l'entendit pas.

La jeune fille perçut en revanche un petit bruit et se
rendit compte que l'homme avait laissé tomber un
trousseau de clés.

— Henri ! appela-t-elle.

Il disparaissait déjà dans un couloir et, ramassant les
clés, Louise se hâta à sa poursuite. Malgré l'obscurité,
elle le discernait à quelques pas devant elle et crut le
voir entrer dans la bibliothèque.

Elle pénétra dans cette pièce à peine quelques
secondes après lui et, à sa grande surprise, ne l'y trouva
pas.

— Henri ?

Elle alluma la lumière et fit le tour de la vaste
bibliothèque. Il lui fallut se rendre à l'évidence : Henri
n'y était pas.

— Comme c'est étrange ! murmura-t-elle.

Tout en faisant rouler le trousseau entre ses mains,
elle essaya de comprendre. Elle s'était trompée,
conclut-elle. Henri n'était pas rentré dans la bibliothèque mais dans une autre pièce. De retour dans le
couloir, elle regarda autour d'elle. La lumière ne filtrait
sous aucune porte. Ne voulant pas s'attarder davantage, Louise décida de rendre les clés à Roland.

Lorsqu'elle arriva dans le salon, Roland, Ambre et
Philippa l'attendaient, se demandant ce qui la retenait.

Un peu remise de sa migraine, Ambre se montrait comme d'habitude, enjouée et charmante.

Louise rencontra le regard de Roland. Rien en lui ne trahissait le baiser qu'il lui avait donné dans le bois. Il aurait pu être un parfait étranger.

— Du xérès? proposa-t-il.

Louise acquiesça d'un hochement de tête.

— Henri a laissé tomber ces clés dans le hall, annonça-t-elle en les lui tendant. J'ai couru derrière lui pour les lui rendre. Je croyais qu'il était entré dans la bibliothèque mais je ne l'y ai pas trouvé. Peut-être pourrez-vous les lui remettre?

Une transformation spectaculaire s'opéra sur le visage de Roland. Il parut soudain à la fois très inquiet et soulagé.

— Merci, Louise, fit-il d'une voix bizarre. Henri va les chercher partout. Je ferais aussi bien de les lui apporter tout de suite.

— S'il n'a pas été enlevé par un fantôme! plaisanta Philippa. Ne dit-on pas que le château est hanté?

— Je n'y ai jamais rencontré la moindre apparition répliqua plutôt sèchement Roland.

— Moi non plus! renchérit Ambre avec gaieté.

— Henri doit être en train de dîner. Je vais lui rendre ses clés. Veuillez m'excuser un moment, déclara Roland.

Il remplit le verre de Louise, le lui tendit et s'éclipsa sur-le-champ.

Dès qu'il fut parti, Ambre se tourna vers la jeune fille:

— Racontez-nous votre visite à la mairie. D'après Roland, vous vous en êtes tirée à merveille.

— Sans son aide, l'affaire ne se serait pas déroulée aussi bien, précisa Louise, et elle retraça avec soin son après-midi.

Au moment où elle évoquait la rencontre avec Chantal d'Arbrisseau, Roland revint.

S'adressant à lui, Ambre lança:

— Chantal et sa famille sont de retour? Je les croyais aux Etats-Unis encore pour plusieurs semaines!

— L'exposition du général a été avancée, expliqua Roland sur un ton assez crispé.

Louise le trouva soucieux.

— Notre cher général va se faire un plaisir de briller avec les tableaux qu'il a achetés à Peter, fit Ambre d'un air dédaigneux.

Roland fixait distraitement le fond de son verre. Il semblait absent et ne réagit pas.

— Chantal est furieuse, je suppose, continua Ambre. Elle aime la ville et à la campagne elle a l'impression de s'enterrer vivante.

Elle coula un coup d'œil du côté de Roland, puis adressa un sourire à Philippa et à Louise.

— Je crois que Roland constitue son seul centre d'intérêt ici.

En entendant son nom, il sursauta, arraché à ses méditations.

— Allons, Roland, vous savez que Chantal est folle de vous, n'est-ce pas? Petite fille déjà, elle vous adorait et elle se montrait jalouse de toutes les femmes qui vous approchaient.

Se forçant à sourire, Roland répliqua:

— Je ne l'avais pas remarqué!

— Oh, l'hypocrite! s'écria Ambre. Je parie que même Louise s'est déjà fait une opinion à ce sujet, n'est-ce pas Louise?

— Elle a paru… très heureuse de le revoir, concéda prudemment Louise.

Le regard de Roland rencontra le sien, le soutenant fermement, sans confirmer ni nier ses paroles.

Ambre éclata de rire et Marie vint un instant plus tard annoncer que le dîner était servi.

Ce soir-là, une fois dans sa chambre, Louise examina les photographies de Sir Peter et commença à lire sa biographie. Quelque chose l'intriguait, une intuition confuse la troublait. Le beau visage souriant de Sir Peter ne répondait pas à toutes ses questions.

Lorsqu'elle abandonna sa lecture, il était plus de minuit. Elle éteignit la lumière, mais ne tira pas les rideaux. Les volets n'étaient pas fermés non plus et le clair de lune entrait à flots dans la chambre. Au bout d'une demi-heure, Louise comprit qu'elle ne s'endormirait pas dans ces conditions. Elle se leva, se dirigea vers la fenêtre et contempla le paysage métamorphosé par les rayons argentés. Le lac scintillait et, derrière lui, les bois formaient une masse sombre et mystérieuse. Soudain, Louise éprouva l'envie de se promener. Obéissant sans hésiter à cette impulsion, elle enfila une veste par-dessus sa chemise de nuit, mit des chaussures et descendit sans bruit l'escalier.

Il faisait relativement froid. La lune trônait dans un ciel clair et étoilé. Louise longea la façade du château, l'esprit préoccupé par Sir Peter. Elle avait beaucoup de mal à se représenter l'homme derrière les photographies, et le souvenir du baiser de Roland ne cessait de venir la déranger dans ses réflexions.

Elle leva la tête et essaya d'imaginer l'arrivée de parachutistes lâchés derrière les lignes ennemies. Mais elle n'arrivait à rien et elle murmura finalement :

— Je ne suis pas à la hauteur. Jamais je ne saurai rendre cet homme tel qu'il était. Ambre devra chercher un autre peintre.

Découragée, elle s'arrêta au coin du château et opéra un demi-tour pour repartir en sens inverse. Une main se posa sur son bras, lui faisant faire un bond de frayeur.

— Louise...

C'était la voix de Roland. Lorsqu'elle rencontra son regard, la jeune fille y lut un profond mécontentement.

Ses doigts s'enfonçant dans son bras, il déclara :

— Je me demandais si vous étiez somnambule.

— Non, répondit-elle en resserrant sa veste autour d'elle. Elle était embarrassée par sa tenue, l'heure tardive et la présence de Roland encore habillé. Que faisait-il dehors si tard ? A onze heures, il avait prétendu comme tout le monde qu'il montait se coucher.

— Que diable faites-vous ici ? s'enquit-il avec colère.

Non seulement il ne lâchait pas son bras, mais il se permettait de la secouer comme une enfant prise en faute.

Piquée au vif, Louise rétorqua :

— Y a-t-il du mal à se promener au clair de lune ?

— Je suis étonné, déclara-t-il d'un air méfiant, de vous trouver en train de fouiner après minuit.

— Pourquoi fouinerais-je ?

La sévérité de Roland à son égard lui parut vraiment exagérée. Etait-il revenu à sa position initiale d'hostilité ? Quel contraste avec le tendre baiser de cet après-midi ! Roland regrettait peut-être ces minutes d'attendrissement et voulait montrer à Louise qu'elles appartenaient au passé.

— Je vous serais reconnaissant de ne pas rôder la nuit, annonça-t-il sèchement.

— Pourquoi ?

A la lumière de la lune, son visage apparaissait crispé, son regard sévère, et ses lèvres pincées ne formaient plus qu'une ligne mince.

— On pourrait vous prendre pour un voleur, expliqua-t-il.

Louise esquissa un sourire plein d'ironie.

— Je vois : vous m'avez prise pour un cambrioleur ! En voyez-vous souvent par ici ?

— Parfois, répondit-il, laconique.

Louise était sûre qu'il s'agissait une fois de plus d'un prétexte, mais pourquoi, pourquoi tous ces mensonges ?

— Pour votre sécurité, ajouta-t-il, je vous conseille de ne pas quitter votre chambre pendant la nuit.

— Je croyais que je n'avais plus rien à craindre de vous ? lança Louise avec une pointe de rébellion.

— Faut-il toujours que vous discutiez à propos des moindres détails ? rétorqua Roland d'un ton las et menaçant.

— Je discute seulement lorsque les gens se montrent déraisonnables. Pourquoi ne pourrais-je pas me promener au clair de lune si j'en ai envie ? Je suis sûre qu'il n'y a pas de danger. Mais puisque je suis l'invitée et vous, le maître des lieux, je dois m'incliner, même si vos idées ne me paraissent pas fondées. Cela dit, je commence à avoir sommeil, bonne nuit !

Elle passa devant lui, la tête haute, et s'éloigna rapidement sans lui laisser le temps de réagir.

Il l'appela d'une voix plus douce :

— Louise...

Elle s'arrêta, se retourna et fit sèchement :

— Oui ?

Lorsqu'il la rattrapa, son attitude avait changé :

— Je vous demande pardon... Je n'aurais pas dû vous parler aussi durement. Vous êtes simplement sortie parce que vous n'aviez pas sommeil, n'est-ce pas ?

— Oui, évidemment.

Il chercha son regard et elle se sentit obligée de s'expliquer :

— Je n'arrive pas bien à me représenter Sir Peter et cela me tracassait. Je n'ai toujours pas résolu la question, d'ailleurs. C'est comme s'il me manquait un morceau dans un puzzle. Enfin... ce n'est pas votre problème.

— Vous avez pourtant accepté la commande du maire ! s'étonna Roland.

— Je vous ai déjà dit que la tâche n'est pas facile. J'espère découvrir ce qui me gêne.

— Vous prenez votre travail très au sérieux.

Il ne restait plus rien de l'irritation que Roland lui avait manifestée quelques instants plus tôt.

— Vous aussi, je crois, répondit-elle, plus troublée par ces nouvelles dispositions que par sa colère.

Elle devina l'ombre d'un sourire.

— Bien sûr ! fit-il. Voilà enfin un point commun entre nous.

— Peut-être, murmura Louise.

Elle frissonna soudain. Un petit vent froid s'était levé et elle s'était attardée dehors plus longtemps que prévu.

— Vous devriez rentrer, lui conseilla Roland en glissant un bras autour de ses épaules en un geste de protection.

Au lieu de bien vouloir faire la paix, pour une raison mystérieuse, Louise se sentit agacée et elle se dégagea vivement.

— Bonne nuit, Roland ! lança-t-elle en s'éloignant très vite.

De retour dans sa chambre, elle ne trouva pas le sommeil. Ce n'était plus Sir Peter qui la tenait éveillée, mais Roland. Les sentiments qu'il commençait à lui inspirer la contrariaient terriblement et elle décida de mobiliser dorénavant toute son énergie pour lutter contre eux.

Au fil des jours, les craintes de Louise ne firent que croître. Elle regretta d'avoir accepté si vite la commande pour le tableau de Sir Peter. Si elle déclarait forfait maintenant, comment la jugerait-on ?

Lorsque arriva le week-end, elle était si tourmentée par les problèmes posés par ce portrait, qu'elle ne parvenait même plus à se concentrer sur des croquis des enfants. Puisqu'on lui avait proposé de mêler les vacances à son travail durant son séjour, elle résolut de s'offrir une journée de loisir.

— Si vous êtes d'accord, je vais aller à Amboise, annonça-t-elle à Ambre.

— Bien sûr ! Faites ce que vous voulez.

— Est-ce que les enfants aimeraient venir ? demanda-t-elle.

En les invitant, elle se donnait la possibilité de les observer et elle permettait en même temps à Ambre et à Philippa de bénéficier de quelques heures de tranquillité.

Ambre éclata de rire.

— Ils adoreraient vous accompagner, mais ma chère Louise, souhaitez-vous réellement vous encombrer d'eux ?

— Je les emmènerai volontiers, assura-t-elle.

Selena, Simon et Angela acceptèrent l'invitation avec enthousiasme. Quand Louise descendit, ils l'attendaient déjà à côté de la voiture. Roland bavardait avec eux et ils manifestaient une grande affection à l'égard de leur oncle. Celui-ci se montrait toujours bon et indulgent avec eux, Louise l'avait remarqué.

— Nous débarrassez-vous vraiment de ces petits monstres pour la journée ? s'enquit-il lorsqu'elle les rejoignit.

— Nous ne sommes pas des monstres, oncle Roland ! protesta Angela avec toute la dignité de ses quatre ans.

Il lui ébouriffa les cheveux et elle se tortilla en riant.

— Nous verrons ce que Louise dira de vous à votre retour, déclara-t-il.

— Pourquoi ne venez-vous pas avec nous, oncle Roland ? demanda Selena. Vous tiendriez compagnie à Louise.

La jeune fille ne put s'empêcher de rougir tandis que les yeux de Roland se posaient sur elle, brillants d'amusement.

— Je crois que Louise aura assez à faire avec vous trois. Elle ne veut pas se charger de moi en plus.

— Allons, venez, oncle Roland, insista Simon. Je ne veux pas être le seul homme !

Roland éclata de rire et secoua la tête.

— J'ai beaucoup trop de travail…

Il jeta à Louise un coup d'œil chargé de défi.

— Si encore Louise y tenait vraiment !

La jeune fille était embarrassée. Il se moquait d'elle, elle le savait. Il ne désirait absolument pas venir et il était sûr qu'elle ne le souhaitait pas davantage, mais il profitait des circonstances pour la mettre dans une situation gênante.

Haussant les épaules, elle affecta un air de totale indifférence.

— Faites comme bon vous semble, Roland. Vous êtes le bienvenu, mais si votre travail...

— Oh, mon travail ! fit-il à sa grande surprise. Il attendra si tout le monde se réjouit de partir avec moi !

— Oh oui, oncle Roland, venez ! s'écrièrent les enfants en chœur.

— Bon, donnez-moi cinq minutes pour avertir Henri.

Il s'éloigna à grands pas et Louise laissa échapper un soupir. Quel homme imprévisible ! Elle eut le pressentiment que sa journée de détente allait se transformer en épreuve.

Cinq minutes plus tard, Roland réapparaissait. Les enfants étaient déjà installés dans la voiture.

— Je prendrai le volant, Louise, si vous le voulez bien. Je connais mieux le chemin que vous.

Elle s'inclina devant cet argument indiscutable. Elle n'était cependant pas dupe du vrai motif de Roland. Il ne voulait pas être vu conduit par une femme.

Les enfants entretenant un babillage constant à l'arrière du véhicule, Roland et Louise n'avaient pas besoin de soutenir une conversation suivie. Avec un sourire narquois, il lui déclara au bout d'un moment :

— C'est un avant-goût.

— De quoi ?

Il se mit à rire.

— Je suis certain que vous serez une très bonne mère, Louise. Vous savez d'instinct comment vous comporter avec les enfants.

— Vous aussi, répliqua-t-elle.

— Ceux-ci sont pratiquement les miens, expliqua-t-il. Je les connais depuis leur naissance.

S'il épousait Ambre, songea Louise, il deviendrait

légalement leur père. Et comme il était de toute évidence très aimé d'eux, aucun problème ne se poserait.

Roland la questionna après un silence :

— Aimeriez-vous voir Chenonceaux ?

— Avec plaisir, répondit-elle, ravie. C'est mon château préféré.

— Alors, allons-y !

Jamais Louise n'avait vu Roland si aimable. Il était difficile de faire le rapport entre cet homme et le sombre personnage qui l'avait terrorisée le soir de son arrivée. Il ne ressemblait pas non plus à celui qui l'avait tendrement embrassée dans les bois, le jour de la panne. Aujourd'hui, il jouait le rôle de l'oncle bienveillant et, oubliant ses craintes, Louise se détendit à ses côtés.

Ils visitèrent le château et les enfants ne s'ennuyèrent pas un instant. Même la petite Angela parut apprécier les meubles somptueux, les tapisseries et les tableaux.

— J'aurais bien aimé les connaître, murmura Roland d'un air songeur.

— Qui donc ? demanda Louise.

— Les élégantes dames qui honorèrent jadis de leur présence ces châteaux. Diane de Poitiers, Catherine de Médicis, Louise de Lorraine...

Il s'interrompit sur ce nom et considéra son interlocutrice en souriant.

— Je voudrais savoir comment était cette Louise... petite et jolie, avec des yeux brillants d'intelligence peut-être... comme vous.

— Qu'ai-je fait pour mériter de tels compliments ? plaisanta-t-elle, dissimulant de son mieux l'émoi dans lequel la plongeaient ces propos de séducteur.

Roland éclata d'un petit rire et abaissa sur elle un regard animé d'une étrange lueur.

— Vous me fascinez.

— Toutes les femmes vous fascinent, contre-attaqua-t-elle.

— Certaines plus que d'autres.

— Nous devrions rassembler les enfants, déclara Louise, moitié parce qu'elle venait de s'apercevoir qu'ils s'étaient éparpillés, moitié pour mettre fin à cette conversation déroutante.

Roland Winterhaven la déconcertait aujourd'hui plus que jamais.

Comme il faisait beau, il proposa un pique-nique. Dans une pâtisserie d'Amboise, les enfants furent autorisés à choisir ce qui leur plaisait et des sourires enchantés illuminèrent leurs jolis visages. Roland leur acheta des jus de fruits et, pour Louise et lui-même, il prit du vin.

— Ce serait dommage de s'enfermer dans un restaurant et de ne pas profiter de ce soleil, déclara-t-il.

Munis de leurs provisions, ils gagnèrent une hauteur d'où ils dominaient la ville aux toits gris et le château. Par chance, Louise gardait toujours dans sa voiture une couverture et elle leur servit.

Après avoir dévoré leur pique-nique, comme des ogres, les enfants s'éloignèrent un peu pour jouer. Roland s'allongea alors, son grand corps atteignant presque le bord de la couverture et, les mains sous la nuque, il soupira d'aise. Louise ne l'avait encore jamais vu dans cet état de décontraction et de sérénité.

— Voilà la vraie vie, murmura-t-il. Un peu de nourriture, du vin et une jolie femme.

Il coula un regard taquin à sa compagne.

Louise s'étendit aussi, à l'autre extrémité de la couverture.

— Suis-je censée approuver ? lança-t-elle sur un ton légèrement agressif.

— Vous êtes encore sur vos gardes avec moi, Louise. Ne m'avez-vous pas pardonné ma conduite ? Ne me faites-vous toujours pas confiance ?

— Je vous ai pardonné, évidemment, affirma-t-elle. Mais je me méfie de vous, je sens que vous êtes dangereux pour moi.

A peine eut-elle prononcé cet aveu que Roland roula vers elle. Son visage arriva tout près du sien, avec ses beaux yeux gris et insondables, ses lèvres imperceptiblement frémissantes. A son grand désarroi, Louise découvrit que cet homme la privait de l'usage de sa volonté. Elle entendit les cris des enfants non loin d'eux. Ils étaient trop absorbés par leurs jeux pour les observer. Louise ne résista pas au baiser de Roland, elle se rendit même à peine compte qu'elle tendait la main pour caresser ses cheveux. Elle le repoussa seulement lorsque la chaleur de ses doigts à travers l'étoffe légère de son corsage la ramena à la réalité.

— Non, Roland... Non...

— Pourquoi pas ? répondit-il tranquillement. Cela me plaît, et à vous aussi.

Il ne se doutait pas de la colère qui montait en elle. L'homme qui allait épouser Ambre, ou éventuellement Chantal, se permettait de se distraire en attendant avec elle ! Elle ne désirait pas de petites aventures sans lendemain, avec Roland Winterhaven moins qu'avec tout autre. En ce qui la concernait, elle aurait désiré... Oh, elle aurait désiré... Elle chassa ce troublant désir avec détermination. A quoi bon rêver de l'impossible ?

— Je n'ai pas l'intention de figurer parmi vos conquêtes, annonça-t-elle froidement en commençant à se lever.

Roland l'obligea à s'allonger de nouveau.

— Louise, vous ne seriez pas...

Il la retenait avec douceur mais ses yeux trahissaient une passion violente. Elle ne devait pas le croire, elle le savait.

— Nous ne sommes plus des enfants, murmura-t-il.

— Où sont-ils ? s'écria-t-elle en se dégageant. Selena ! Simon ! Angela ! Venez ici !

Elle était rouge et haletante. La tête lui tournait un peu quand elle se mit debout, à cause du vin qu'elle avait bu, et encore plus sûrement à cause du baiser de Roland. Pourquoi ne s'était-elle pas défendue ? Pourquoi n'avait-elle pas réussi à dissimuler ses sentiments ? A présent, Roland se moquait certainement de sa faiblesse.

Les enfants obéirent docilement à son appel. Angela lui offrit un petit bouquet de pâquerettes.

Louise le prit et lui sourit. Elle s'efforçait de paraître naturelle mais elle ne retrouva pas son état normal de tout l'après-midi. La plus grande confusion régnait dans son esprit.

Elle visita Le Clos-Lucé dans une espèce de brouillard et, au lieu de se passionner avec Simon pour les machines extraordinaires réalisées d'après des plans de Léonard de Vinci, elle songea sans arrêt à ce qui s'était passé pendant le pique-nique. Elle avait eu durant quelques instants Roland pour elle seule... Si elle persistait à s'attendrir ainsi, elle risquait de souffrir énormément. Dès qu'elle s'en aperçut, elle s'exhorta à combattre plus énergiquement son penchant pour le futur mari d'Ambre.

Elle fut soulagée lorsqu'ils eurent regagné le château des Ormeaux. Les enfants coururent immédiatement à la recherche d'Ambre et de Philippa afin de leur raconter leur journée. Quant à Louise, elle monta tout droit dans sa chambre, ayant grand besoin d'un moment de répit pour mettre de l'ordre dans ses pensées.

Quelques jours plus tard, elle se lança dans les premières esquisses de Sir Peter Winterhaven. Seule dans son atelier, elle se montra assez confiante au début, puis au bout d'un moment, prise de découragement, elle chiffonna rageusement ses essais et les jeta à terre. Elle n'arrivait à rien. L'homme qu'elle dessinait ressemblait à Sir Peter mais ce n'était pas lui. Elle interrompit finalement son travail et partit se promener.

Elle se dirigea vers les caves qu'elle n'avait pas encore visitées. Elles se trouvaient à quelque distance du château, au terme d'un chemin sinueux. A première vue, les bâtiments étaient déserts. Louise aperçut des ouvriers dans les vignes occupés à des tâches diverses. Il n'y avait pas encore de raisin et, le cœur serré, la jeune fille songea qu'elle aurait regagné l'Angleterre bien avant le moment des vendanges. Elle se plaisait pourtant dans cet endroit magnifique, malgré les problèmes que lui posaient Roland et le portrait de Sir Peter.

Dans un hangar ouvert, elle découvrit un ancien pressoir qu'elle examina avec beaucoup d'intérêt, regrettant de n'avoir personne pour lui fournir les explications qu'elle souhaitait.

Poussée par sa curiosité, elle s'aventura à l'intérieur de l'édifice principal. Ses yeux s'accoutumant à l'obscurité, elle distingua d'immenses cuves, des tonneaux, et elle poursuivit son exploration. Au moment où elle pénétrait dans un étroit couloir, une main s'abattit sur son épaule. Un cri lui échappa et, se retournant vivement, elle rencontra le regard d'acier de Roland. Il ne souriait pas et son amabilité des jours précédents avait disparu.

— Roland, vous m'avez fait peur ! s'écria-t-elle.

— Que cherchez-vous ici ? lança-t-il brutalement sans s'excuser.

— Je... je me promenais, balbutia-t-elle.

Il lui parlait comme à une coupable, comme si elle avait enfreint les limites d'un domaine interdit.

— Pourquoi ne m'avez-vous pas demandé de vous faire visiter les caves ? fit-il durement.

— Je... je n'y ai même pas pensé. Je passais simplement et je...

— A l'avenir, si vous voulez voir quelque chose, dites-le-moi et je vous le montrerai.

Louise éprouva une étrange impression. Roland n'était pas seulement en colère contre elle, il semblait avoir un secret qu'elle avait failli découvrir. Elle se souvint de sa contrariété quand il l'avait surprise dehors en pleine nuit. En cette occasion, il s'était emporté de la même manière. Mais que pouvait-il bien cacher? L'imagination de Louise l'entraînait dans des suppositions ridicules.

— Pardonnez-moi, j'ignorais que j'étais en infraction! fit-elle sur un ton légèrement ironique car le comportement de Roland l'irritait. Si vous avez découvert un nouveau procédé pour faire le vin, n'ayez pas peur que je vous vole votre invention. Même si j'avais le nez dessus, je ne m'en apercevrais pas!

Il la fixa un instant avec une intense méfiance puis, tout d'un coup, il se détendit.

— Bon, puisque vous êtes là, déclara-t-il plus gentiment, autant vous présenter les lieux.

Il s'interrompit soudain et regarda par-dessus l'épaule de Louise. Henri arrivait. Il avait l'air de sortir du néant pour se matérialiser bruquement auprès d'eux et il était couvert de poussière.

— Ah, Henri! s'exclama Roland.

Il lui parla dans un français si rapide que Louise ne comprit pas un mot de ses propos. Elle en retira le vague sentiment que Roland cherchait à être rassuré sur un sujet mystérieux.

Henri adressa un bref salut à Louise et disparut. Devenant un tout autre homme, Roland fut un guide empressé, fournissant à la jeune fille d'amples explications sur ses activités viticoles. Elle y prit un vif intérêt et, bien que troublée par la compagnie de cet homme, elle parvint à garder assez de présence d'esprit pour lui poser des questions pertinentes.

Il annonça finalement:

— Voilà, nous avons effectué un tour complet. Etes-vous satisfaite maintenant?

— Oui, je vous remercie infiniment, répondit-elle.

Ils retournèrent ensemble au château et, comme l'heure du déjeuner approchait, ils montèrent jusqu'à leurs chambres.

Atteignant la porte de la sienne, Louise répéta:

— Je vous remercie, Roland.

— Je vous en prie, murmura-t-il.

Il plongea de nouveau son regard dans le sien avec un mélange de suspicion et d'inquiétude. Une fois de plus, elle le crut sur le point de révéler quelque chose, mais il ne parla pas.

En revanche, il posa sa main sur son épaule, remonta le long de son cou et caressa brièvement ses cheveux. Comme elle frémissait et s'empourprait, il sourit.

— A tout de suite, balbutia-t-elle et s'esquivant, elle pénétra à la hâte dans sa chambre.

7

Les journées s'enchaînaient les unes aux autres avec une rapidité étonnante. Toujours occupée, Louise dessinait, peignait, ou partait à la découverte de la région lorsque l'inspiration venait à lui manquer. Elle évitait Roland et il ne recherchait pas sa compagnie non plus. Ils ne se voyaient qu'aux repas.

Le soir où le général d'Arbrisseau, sa femme Eloïse et Chantal furent invités à dîner, Louise éprouva de nouveau des appréhensions, comme chaque fois qu'elle devait rencontrer des étrangers. En outre, Ambre se réjouissait de leur montrer son premier tableau qui représentait les quatre enfants ensemble. Ambre semblait enchantée du résultat, mais Louise redoutait les éventuelles critiques de ses hôtes. Le général n'était peut-être pas aussi ignorant en matière d'art que Roland le prétendait.

La jeune fille décida de mettre sa robe rouge puisque cette couleur lui donnait confiance en elle. Elle ne l'avait plus portée depuis le jour de son arrivée et elle fut surprise de voir qu'elle lui allait mieux. Jusqu'à présent, elle avait toujours été un peu maigre et, s'examinant soudain avec un soin tout particulier dans la glace, elle s'aperçut qu'elle s'était épanouie. La vue de sa poitrine plus ronde et plus ferme lui causa d'abord une certaine gêne, puis elle accepta avec une satisfaction timide ce signe de féminité.

Elle descendit dans le salon en s'attendant à y arriver la dernière. En fait, elle n'y trouva que Roland. Il se tenait près de la cheminée et, comme la porte était ouverte, il ne l'entendit pas entrer. Elle en profita pour l'observer un instant à son gré tandis que toutes sortes de sentiments contradictoires se levaient en elle.

Il semblait profondément plongé dans ses pensées et préoccupé. Lorsque la jeune fille s'approcha de lui, il la remarqua enfin et dit :

— Bonsoir, Louise. Voulez-vous du xérès ?

— Oui, s'il vous plaît.

Elle prit le verre qu'il lui tendit et, en rencontrant son beau regard gris, elle éprouva soudain un profond désir de l'aider, quel que fût son problème. Mue par cette impulsion, elle demanda :

— Que se passe-t-il, Roland ?

Il parut surpris.

— Pourquoi me posez-vous cette question ?

Soudain confuse, elle s'expliqua de son mieux :

— Vous avez l'air soucieux.

— J'ai toujours des soucis, répondit-il en faisant tourner son verre entre ses doigts fins mais puissants. La gestion d'un domaine comme celui-ci est une lourde charge pleine de difficultés.

— Je vous crois volontiers, affirma Louise, estimant qu'elle s'était sans doute trompée sur la gravité de ses tracas.

— Mais d'habitude, je surmonte facilement ces difficultés, ajouta-t-il.

Prenant son courage à deux mains, elle murmura :

— Ce serait présomptueux de ma part de vous proposer mon aide, je suppose... Parfois, le seul fait de parler de ses problèmes avec quelqu'un soulage.

Un sourire ironique se dessina sur les lèvres de Roland et il déclara durement :

— Le temps où vous pouviez m'aider est passé.

— Que voulez-vous dire ?

Il lui enleva son verre et s'empara de ses mains. Plongeant son regard dans le sien, il affirma d'une voix plus douce :

— Ne cherchez pas à comprendre.

Il la détaillait avec un effort visible pour avoir l'air détendu.

— Comme vous êtes belle, Louise ! J'aime vous voir en rouge.

Ses mains remontèrent lentement le long de ses bras et s'immobilisèrent sur ses épaules.

— Vous savez, Louise, je…

Il approcha ses lèvres des siennes et, malgré sa raison qui lui criait de se dégager, Louise en fut incapable. Il exerçait sur elle un pouvoir irrésistible et elle ferma les yeux.

— Les invités sont arrivés ! annonça Philippa, rompant brutalement le charme.

Elle se tenait sur le seuil du salon et son expression indiquait clairement qu'elle avait saisi l'intimité de la scène.

Nullement démonté, Roland lui répondit :

— Merci de m'avertir, Philippa.

Se tournant vers la pauvre Louise qui était devenue cramoisie, il ajouta :

— Excusez-moi, je vais les accueillir.

Louise resta seule dans le salon et, pour se donner une contenance, elle reprit son verre de xérès. Des éclats de voix et de rires lui parvenaient du hall. Quelques instants plus tard, Roland réapparaissait avec Raoul d'Arbrisseau, sa femme et sa fille.

Le général ne parut pas particulièrement sympathique à Louise. Quant à Chantal et sa mère, elles se ressemblaient par leur élégance voyante. Louise fut soulagée lorsqu'Ambre pénétra à son tour dans le salon, suivie de Philippa.

Une conversation gaie et légère s'engagea. Chantal considérait Louise du coin de l'œil d'un air méprisant.

Elle portait une robe en soie crème de coupe extrêmement raffinée qui mettait en valeur sa fine silhouette. Un décolleté généreux révélait la peau parfaite de ses épaules. Avec ses cheveux relevés, libérant entièrement un visage aux traits harmonieux, elle était d'une beauté saisissante. A en juger par la manière dont Roland la regardait, il partageait l'avis de Louise à ce sujet. Cependant, la bouche de la jeune fille trahissait une dureté qui compromettait son charme.

A plusieurs reprises, Louise croisa le regard plein de sous-entendus de Philippa. Au moment où le groupe se dirigea vers la salle à manger, elles se retrouvèrent toutes les deux un peu en arrière, et Philippa lui glissa à l'oreille :

— C'est un séducteur, Louise. Attention !

La jeune fille se raidit. Elle le savait. Elle ne devait pas prendre au sérieux les avances de Roland. Dans le passé, il s'était sans doute amusé de la même manière aux dépens de Philippa.

A table, elle fut placée à côté du général et, très naturellement, ils parlèrent peinture.

— Ainsi, vous êtes chargée d'exécuter le portrait de Sir Peter ! lança-t-il.

— Je n'ai pas encore beaucoup avancé dans mon travail, avoua Louise.

— C'est difficile lorsqu'on ne dispose que de photographies, accorda-t-il sur un ton compréhensif.

Roland était assis en face de Louise et, malgré ses efforts, elle n'arrivait pas à détacher ses yeux de lui. Son expression enjouée n'était qu'une façade, elle le sentait, et elle aurait bien voulu savoir ce qui le tourmentait. Ses affaires ne la concernaient pourtant pas. Pourquoi ne pouvait-elle plus rester indifférente aux problèmes de Roland ?

— Si vous voulez voir mes tableaux, lui proposa le général, il faudra venir avant qu'ils ne partent à Paris pour l'exposition.

Reportant à grand-peine son attention sur son interlocuteur, Louise murmura :

— Je vous remercie... Je viendrai volontiers.

Alors qu'il ne semblait pas écouter, Roland intervint soudain dans la conversation :

— J'ai appris que la date de votre exposition a été avancée, général.

— En effet, et c'est pour cette raison que j'ai abrégé mon voyage. Je n'avais pas encore réglé la question de l'assurance. D'ailleurs, je ne suis pas satisfait de la compagnie que j'ai contactée et il me faudrait l'avis d'un expert.

— Pourquoi ne pas faire appel à Edgar Benson, général ? suggéra Ambre, intervenant à son tour. Il avait déjà évalué ces tableaux pour Peter. Je ne vois personne de plus qualifié que lui, qu'en pensez-vous, Louise ?

— Edgar est extrêmement compétent, confirma-t-elle.

— Nous pourrions l'inviter à passer quelques jours ici, ajouta Ambre avec enthousiasme. Je parie que vous vous ennuyez de lui, Louise !

Elle sourit à la ronde d'une manière éloquente.

— Il lui a déjà envoyé deux lettres !

— Ambre, vous devriez avoir honte de nous livrer ses secrets ! s'exclama Chantal.

Elle se tourna vers Louise et lui demanda :

— Est-il votre fiancé ?

— Non... fit-elle, affreusement gênée. Nous sommes simplement bons amis. Il m'a beaucoup aidée.

Elle surprit une expression étrange sur le visage de Roland.

— Il ne faut pas plaisanter sur ce sujet, déclara Ambre. L'amour est une affaire strictement privée. Mais pour en revenir à vos tableaux, général, seriez-vous d'accord pour vous adresser à Edgar ?

— C'est une excellente idée, estima Mme d'Arbrisseau, puis elle ajouta après un bref silence : Chantal

100

souhaite que nous organisions une soirée et je suis tout à fait d'accord. Donnons-la tant que les tableaux sont encore ici. Ensuite, il y aura tellement de vides sur les murs !

— Oh oui, maman ! renchérit Chantal. Cela rompra un peu la monotonie. Et après, j'espère que nous irons à Cannes. Qu'en dites-vous, papa ?

Le général éclata de rire.

— Je ne suis plus le maître chez moi ! Ce sont les femmes qui commandent maintenant. Entendu, faisons venir ce M. Benson et donnons une soirée. Pour ce qui est de Cannes, nous en reparlerons.

— Pourquoi ne téléphonerions-nous pas à Edgar ce soir ? proposa Ambre, se montrant comme toujours très impétueuse.

Louise l'appuya et, après le dîner, on la chargea d'appeler son ami. Elle se surprit à désirer vivement la présence d'Edgar, non pas pour les motifs sentimentaux que son entourage lui prêtait, mais parce qu'il était le seul à pouvoir porter un jugement valable sur son travail.

Edgar accepta avec empressement le service demandé par le général.

— Tous les prétextes sont bons pour vous revoir, ma chère ! annonça-t-il sur un ton léger à Louise. Je peux venir dès ce week-end, Cathy se débrouille très bien sans moi à la galerie. J'avais de toute façon à faire à Paris. Je m'y arrêterai au passage.

— Un instant, répondit Louise. Je vais demander à Ambre si cela lui convient.

La jeune femme se déclara enchantée, ainsi que le général. Une personne, en revanche, paraissait mécontente : c'était Roland. Il ne manifesta pas ouvertement sa réticence, mais Louise la devina à son expression. Elle ne parvenait pas à s'expliquer cette réaction. Sans doute, décida-t-elle finalement, Roland désapprouvait-il toutes les initiatives dont il n'était pas l'auteur. Tandis que les convives prenaient le café un peu plus tard,

Louise l'observa à la dérobée et elle le jugea bien énigmatique.

Compte tenu de la visite d'Edgar, Mme d'Arbrisseau fixa sa soirée au samedi suivant. Ambre assura le lendemain à Louise qu'elle ne faisait pas les choses à moitié. Elle lui promit une réception grandiose. Et soudain, elle s'exclama :

— Je n'ai plus que de vieilles robes ! Il me faut une toilette neuve pour l'occasion.

Ce projet réveilla l'embarras de Louise. Elle s'était déjà demandé en son for intérieur comment elle s'habillerait. Elle n'était guère munie pour des réunions de cette élégance. Toutefois, elle n'avait pas envisagé d'acheter une tenue spéciale.

Comme si Ambre lisait ses pensées, elle déclara :

— Je tiens à vous faire un cadeau, ainsi qu'à Philippa. Nous irons ensemble à Paris.

Ses yeux brillaient déjà à cette perspective, et Louise comprit qu'il était inutile de discuter. Quand Ambre était résolue, rien ne pouvait l'arrêter. L'expérience l'en avait déjà instruite.

A sa grande surprise, Roland ne s'opposa pas à ces dépenses. Au contraire, il proposa même de conduire les trois femmes à Paris.

— Je dois m'y rendre aussi. Profitez donc de ma voiture.

Ambre elle-même parut étonnée de cette bonne volonté. Obéissant à une impulsion, elle embrassa affectueusement Roland sur la joue.

— Comme c'est gentil de votre part !

Il ne se montra pas particulièrement sensible à ces effusions. Etait-il vraiment amoureux d'elle ? Plusieurs fois déjà, Louise avait été amenée à en douter. Mais peut-être tenait-il à cacher ses sentiments tant que les cérémonies destinées à honorer la mémoire de Sir Peter n'avaient pas eu lieu.

Ils partirent très tôt le matin et Roland déposa ses passagères chez un grand couturier où, selon Ambre, on trouvait des toilettes exquises à un prix raisonnable. Louise ne put s'empêcher de sourire de ce que la jeune femme appelait un « prix raisonnable ».

— Nous retrouvons-nous pour déjeuner ? s'enquit Roland en les quittant.

— Auriez-vous l'amabilité de nous emmener au restaurant ? plaisanta Ambre avec un charmant sourire.

— Ce sera un plaisir ! répliqua-t-il, les yeux pleins de malice. Accompagné de créatures aussi ravissantes que vous, je vais rendre jaloux tous les hommes de Paris !

Quel être étrange, songea Louise en pénétrant dans le salon de couture ! D'un instant à l'autre, il pouvait passer d'une humeur sombre et soucieuse aux dispositions les plus agréables. Un jour il se montrait doux, et violent le jour suivant...

Le problème du choix d'une robe supplanta vite Roland dans les pensées de Louise. Une grande femme élégante aux cheveux blancs reçut Ambre et ses compagnes, puis deux employées se joignirent à elle et les toilettes ne tardèrent pas à affluer.

Un peu intimidée, Philippa glissa à l'oreille de Louise :

— Je n'ai pas l'habitude de ce genre d'endroit. C'est impressionnant, n'est-ce pas ?

Le temps passa agréablement en essayages et une robe retint l'attention d'Ambre.

— Elle est faite pour vous, Louise. Qu'en pensez-vous, Philippa ? lança-t-elle.

Louise tournait lentement sur elle-même, faisant virevolter l'ample jupe en soie bleu paon. Bien qu'un peu osé, le décolleté lui allait à ravir et l'étoffe était ramassée sur l'épaule en plis souples maintenus par des agrafes argentées. Louise était séduite et elle opta elle aussi pour ce magnifique vêtement dont aucune étiquette n'indiquait la valeur.

Philippa et Ambre trouvèrent leur bonheur à leur tour et, les trois robes ne nécessitant que des retouches mineures, on leur proposa de repasser les chercher le soir-même avant de regagner le château.

— Et maintenant, il nous faut des chaussures! annonça Ambre, débordante d'enthousiasme.

— Il est presque midi, Roland va nous attendre, objecta Philippa.

— Il attendra! assura Ambre, souriante.

Elle entraîna ses compagnes dans un magasin qu'elle tenait pour le meilleur de la capitale. Louise y découvrit avec émerveillement des souliers du même ton que sa robe.

Elles arrivèrent en retard au rendez-vous fixé avec Roland. Contrairement aux craintes de Louise, il ne s'en montra pas irrité. Il se renseigna plutôt avec une aimable courtoisie sur leurs achats et, quand Ambre lui apprit qu'elle avait dépensé une fortune, il ne sourcilla même pas. Peut-être s'était-il résigné à ne pas imposer ses volontés à la jeune femme, du moins pas avant leur mariage.

Ambre employa l'après-midi à de menues emplettes, et il faisait noir quand ils rentrèrent.

— Je ne sais pas ce que vous en pensez, déclara-t-elle, mais quant à moi, j'ai passé une excellente journée.

Louise et Philippa exprimèrent aussi leur satisfaction. Louise regarda Roland sortir leurs paquets du coffre de la voiture. Il avait fait preuve d'une patience admirable et elle éprouva le besoin de l'en remercier.

— Je crois que Roland mérite des compliments pour nous avoir supportées, affirma-t-elle.

Ambre éclata de rire et courut l'embrasser. Roland considéra alors les deux autres femmes avec un sourire.

— Et vous, vous ne me remerciez pas?

Philippa suivit courageusement l'exemple d'Ambre et déposa un baiser sur sa joue. Quant à Louise, elle éprouva soudain une intense confusion. Elle ne pouvait pourtant pas se dérober. Au moment où elle approchait sa bouche, Roland tourna la tête, et leurs lèvres se rencontrèrent brièvement. Elle songea malgré elle à leur excursion à Amboise et à toutes les autres fois...

Le reste de la semaine, Louise travailla avec ardeur, presque avec frénésie. Elle se trouvait devant le château, en train de dessiner les enfants qui jouaient, lorqu'Edgar arriva. Il était un peu en avance et elle en éprouva de la joie. Posant carnet et crayon, elle courut à sa rencontre. Il la prit dans ses bras, l'embrassa, puis la tint à quelque distance de lui pour mieux la regarder.

— Vous avez une mine splendide ! Comment allez-vous ?

— Très bien, répondit-elle. Les enfants sont adorables et je m'entends à merveille avec Ambre. Je ne pouvais pas rêver d'une commande plus agréable. Je vous serai toujours reconnaissante de me l'avoir procurée.

Elle avait le temps, décida-t-elle, de parler à Edgar des problèmes qu'elle rencontrait pour réaliser le portrait de Sir Peter.

Les enfants formèrent un cercle autour d'eux et, sur le moment, Louise ne remarqua pas la présence de Roland. Il vint saluer Edgar et sa froideur étonna la jeune fille.

Un peu plus tard, Edgar monta dans son atelier et la félicita pour les premiers fruits de son travail.

— Oui... oui, c'est excellent, affirma-t-il.

Ses encouragements lui permettraient peut-être de faire revivre Sir Peter, espéra-t-elle. Elle lui confia ses difficultés.

— Je vois, déclara-t-il. Il n'est pas aisé de représenter un homme qui a l'air d'un saint.

Louise acquiesça.

— Je suis gênée, expliqua-t-elle. Sur certaines de ses photographies, je discerne justement une faille. Il n'était pas parfait, mais je ne parviens pas à me faire une idée de ses défauts... ou du moins de ses faiblesses.

— Nous en avons tous, glissa Edgar en souriant. Peut-être était-il un mari jaloux ?

— Je n'en sais rien et cela me bloque.

Louise joignit les mains avec désespoir.

— Je crains de chercher des excuses à mon incompétence.

— Vous êtes tout à fait capable d'exécuter ce portrait ! protesta Edgar. Ne vous inquiétez pas. Il vous reste encore du temps.

— Je ne peux pourtant pas trop prolonger mon séjour. J'ai parfois l'impression de déranger, quoi qu'en dise Ambre.

— Vous vous trompez. Elle est enchantée de vous avoir. Elle se sent seule, vous savez.

— Bien sûr. Elle souffre certainement beaucoup en dépit de la gaieté qu'elle affiche. Tout ira mieux quand elle pourra épouser Roland.

Edgar parut surpris.

— Est-il question de mariage entre eux ? demanda-t-il.

— Tout le monde en est convaincu. Par décence, eux-mêmes ne veulent pas en parler avant les cérémonies prévues pour Sir Peter.

En dépit de cette explication, Edgar conserva son expression dubitative et il changea de sujet.

— Il paraît que nous sommes invités chez les d'Arbrisseau demain soir ?

Louise hocha la tête en signe d'affirmation.

— Ambre nous a acheté une robe à Philippa et à moi pour l'occasion. Je n'aurais pas dû accepter. Elle est vraiment trop généreuse.

En mettant le magnifique vêtement de soie le lendemain, Louise se sentait encore coupable. Mais il lui allait à merveille et, après avoir ajouté à sa tenue ses boucles d'oreilles et son bracelet en argent, elle ne résista pas au superbe reflet que lui renvoya la glace.

Roland se trouvait dans le hall quand elle descendit. Elle hésita au bas de l'escalier en l'apercevant, redoutant de l'affronter seule. Comme il lui tournait le dos, il ne la vit pas. Pendant qu'elle s'attardait, perplexe, sur une marche, Ambre sortit d'une pièce du rez-de-chaussée et se dirigea vers lui. Retenant son souffle, Louise les observa. Dans sa robe blanche et or, avec sa chevelure blonde savamment relevée, Ambre était éblouissante. Elle tournoya devant Roland.

— Comment me trouvez-vous ?

— Ravissante, répondit-il.

Pendant quelques secondes, ils restèrent immobiles à se dévisager. Puis, brusquement, Ambre se jeta dans les bras de Roland. Ses paroles, vibrantes d'émotion, montèrent jusqu'à Louise.

— Oh, Roland, je fais de mon mieux mais... c'est tellement difficile... Ce mois de septembre n'arrivera donc jamais ! J'ai honte de moi... de mon impatience...

— Peter vous comprendrait, assura-t-il en lui caressant doucement l'épaule.

— Oui, je le sais bien. Cher Peter ! Il avait même tout prévu. N'a-t-il pas dit qu'il ne m'en voudrait pas si je vous épousais au cas où il mourrait ?

Louise ne voulut pas en entendre davantage. Elle regagna précipitamment sa chambre et s'appuya contre la porte. Elle tremblait. Aucun doute ne lui était plus permis cette fois. Si elle avait nourri quelques espoirs, quelques illusions, elle devait les chasser au plus vite. Il lui fallait s'attaquer immédiatement aux sentiments déraisonnables qu'elle avait laissés grandir en elle. Hélas, craignit-elle, jamais elle n'oublierait Roland ! Se raidissant contre la souffrance, elle décida de s'acquitter de son travail dans les plus brefs délais afin de pouvoir quitter ce château.

Elle attendit un petit moment avant de s'aventurer de nouveau dans l'escalier. A présent, tout le monde se trouvait dans le hall et elle arriva la dernière. Les regards se posèrent sur elle et, plus encore que les autres, celui de Roland exprima une vive admiration.

En des circonstances différentes, elle en aurait été flattée.

Elle monta dans la voiture d'Edgar qui profita du trajet pour lui demander :

— Roland est un homme un peu difficile, n'est-ce pas ? Vos rapports avec lui ne se sont-ils pas améliorés ?

Dans l'une de ses lettres, Louise lui avait parlé sans donner de détails de l'hostilité qu'il lui avait témoignée au début de son séjour.

— C'est un être changeant, se borna-t-elle à déclarer.

— A-t-il finalement accepté votre présence ?

— Il a bien dû s'y résoudre.

Ils suivaient la voiture des Winterhaven qui s'engageait à présent dans une longue allée conduisant chez les d'Arbrisseau. Leur demeure était un château, moins important que celui des Ormeaux et d'aspect plus austère. Cependant, se reflétant avec toutes ses fenêtres illuminées dans les fossés qui l'entouraient, il ne manquait pas d'allure.

— Quel endroit délicieux ! s'extasia Louise. Comme j'aimerais vivre dans un château !

Ils quittèrent leur véhicule et en la prenant par le bras, Edgar plaisanta gentiment :

— Peut-être rencontrerez-vous le prince charmant ce soir ! J'aurais dû me douter que ma galerie et ma ferme ne vous suffisaient pas !

Louise le réprimanda avec un sourire :

— Vous savez très bien que je ne me marierais pas pour l'argent. Quant à vous, vous ne m'aimez pas vraiment.

— Je tiens beaucoup à vous.

— Cela ne remplace pas l'amour. Un jour, vous serez heureux que je n'aie pas pris vos demandes en mariage au sérieux.

— Que vous arrive-t-il ? lança Edgar. J'ai l'impression que vous êtes tombée amoureuse.

— Ne dites pas de sottises, répliqua Louise. Je voudrais bien savoir de qui je pourrais m'éprendre ici !

Ils rejoignirent Ambre, Roland et Philippa pour pénétrer dans le château. Louise s'accrochait au bras d'Edgar et elle décida de ne pas le quitter de la soirée.

Les événements ne lui permirent toutefois pas d'appliquer son plan. Le général insista pour montrer immédiatement ses tableaux aux cinq arrivants. Ensuite, Mme d'Arbrisseau accapara Louise et l'introduisit dans un groupe de jeunes gens. La jeune fille s'éclipsa dès qu'elle le put car elle s'épuisait en vain à suivre leur conversation animée et rapide en français. Elle erra à travers les pièces en affichant un large sourire pour donner l'impression qu'elle ne s'ennuyait pas.

Le hasard la conduisit à surprendre Roland et Chantal par une fenêtre ouverte. Ils se promenaient sur la terrasse et la belle Française, s'arrêtant brusquement, noua ses bras autour du cou de Roland et lui offrit ses lèvres. Louise ne voulut pas en voir davantage. Pauvre Ambre, songea-t-elle. Savait-elle à quel genre d'homme elle allait se lier pour la vie ?

Se sauvant, Louise s'immobilisa un peu plus loin devant une grande toile impressionniste. Tandis qu'elle l'examinait, Roland surgit derrière elle, sans Chantal.

— Peter aimait particulièrement celle-ci, déclara-t-il.

— Il a dû souffrir quand il s'est séparé de sa collection.

— En effet, confirma Roland d'un air impassible.

Il semblait ne pas approuver la transaction. Peut-être estimait-il que le général avait fait une trop bonne affaire.

— Où est Edgar ? poursuivit-il. Ce n'est pas très galant de sa part de vous négliger.

— Il discute sans doute encore avec le général, répondit Louise en haussant les épaules. Je n'ai pas besoin de lui pour m'amuser. J'ai dansé…

— Justement, coupa Roland, j'allais vous prier de... Je ne connais pas très bien ces danses modernes mais...

— Moi non plus, répliqua Louise. Mme d'Arbrisseau m'a présenté des jeunes gens qui m'ont invitée. Je me suis échappée aussi vite que j'ai pu.

— Pour rejoindre Edgar, je suppose. Je ne savais pas quels étaient vos rapports avec lui, Louise... Vous auriez dû m'avertir et je ne vous aurais pas...

— Vous ne m'auriez pas embrassée, termina Louise à sa place.

— Je n'ai pas l'habitude de prendre les femmes des autres, affirma Roland sur un ton de reproche, comme s'il en voulait à Louise de ne pas l'avoir empêché de commettre cette faute avec elle. Allez-vous l'épouser ?

L'espace d'une seconde, Louise hésita, puis elle préféra laisser son interlocuteur dans le doute :

— Il... il m'a demandée en mariage.

Edgar se joignit à eux juste à ce moment-là, épargnant à la jeune fille le souci d'approfondir ce sujet délicat.

— Ah, Roland, me permettez-vous de vous enlever Louise une minute ? lança-t-il d'une voix enjouée.

— Je vous en prie... Elle est à vous, rétorqua-t-il sèchement.

Edgar entraîna alors son amie sur la terrasse et la jeune fille sentit d'instinct qu'il se passait quelque chose de grave.

— Qu'y a-t-il, Edgar ? fit-elle aussitôt.

Il jeta des regards autour de lui pour s'assurer qu'ils étaient seuls, puis il attira Louise tout près de lui tant il craignait d'élever la voix.

— Louise, j'ai l'impression de devenir fou... Mon esprit s'égare !

— Qu'y a-t-il ! répéta Louise, très inquiète cette fois.

— Les tableaux, Louise... Les tableaux que le général a achetés à Sir Peter Winterhaven... Je ne peux pas en croire mes yeux... Je n'y comprends rien.

— Pour l'amour du ciel, Edgar, dites-moi ce qui vous arrive ! insista Louise.

— Il y a quelques années, lorsque j'ai expertisé les tableaux de Sir Peter, j'ai pu certifier que chacun d'entre eux était un original. J'en aurais mis ma main à couper. Et maintenant... Depuis que j'ai revu ces tableaux ici, je suis sûr qu'il s'agit de faux !

Louise ouvrit de grands yeux. Elle s'attendait à tout sauf à une telle nouvelle. Sidérée, elle parvint seulement à murmurer en écho :

— Des faux !

8

Louise considéra pendant de longs instants Edgar d'un air incrédule.

— En avez-vous informé le général ? demanda-t-elle enfin.

— Non. Imaginez un peu sa réaction... et puis, je dois me tromper. Comment ces tableaux que j'ai authentifiés moi-même seraient-ils devenus des faux ?

Louise glissa gentiment son bras sous celui de son compagnon et l'entraîna à faire quelques pas.

— Pensez-vous qu'il s'agissait déjà de faux lors de votre première expertise ? Qu'est-ce qui aurait pu vous induire en erreur ?

Edgar s'immobilisa brusquement, vibrant d'indignation.

— Je n'ai pas commis d'erreur ! J'étais aussi sûr de moi cette fois-là qu'aujourd'hui ! Parmi les tableaux, il y en a deux que j'ai procurés moi-même à Peter. Je ne lui ai pas vendu des faux, je vous le garantis !

Après quelques instants de réflexion, Louise formula une conclusion qui lui semblait inéluctable :

— Je ne vois qu'une explication, Edgar : on a substitué des copies aux originaux.

Il acquiesça d'un signe de tête.

— L'auteur de ce coup est un homme très habile. Mais je ne comprends pas comment il a pu réaliser ces copies. Le général ne l'a quand même pas invité à s'installer chez lui pour peindre !

— Il possédait peut-être des photographies des tableaux ? suggéra Louise.

— C'est une possibilité. Ou alors le général les a prêtés pour une occasion que nous ignorons.

— Cela s'est peut-être passé avant, quand la collection appartenait encore à Sir Peter.

Edgar haussa les épaules avec lassitude.

— Toutes ces suppositions ne nous avancent à rien. Pour l'instant, il faut que j'annonce la nouvelle au général. Il se réjouit comme un enfant de son exposition. Il ne s'y connaît pas beaucoup en peinture mais il rêve de voir son nom parmi les grands collectionneurs. Sa vanité va être mise à rude épreuve.

— Et si vous ne lui disiez rien ? proposa Louise.

— Quelqu'un d'autre risque de faire la même découverte que moi, objecta Edgar en secouant la tête. Imaginez le scandale. J'y serais inévitablement impliqué. On m'accuserait de n'avoir pas su distinguer des faux des originaux et le général serait ridiculisé.

L'espace d'une seconde, Edgar pesa le pour et le contre, puis il ajouta d'un air absolument décidé :

— Non, mon honnêteté et ma réputation sont en jeu. Je ne veux pas les compromettre.

— Vous avez raison, reconnut Louise. Parlez au général et s'il refuse de renoncer à son exposition, ce sera à ses risques et périls.

— Je le lui déconseillerai formellement, affirma Edgar.

— Cela me paraît encore incroyable, poursuivit Louise. Il y a un quart d'heure, j'étais en train d'admirer l'un de ces tableaux. Jamais je n'aurais pensé... Evidemment, je ne suis pas un expert, mais le peintre qui a réalisé ces copies est remarquable.

— Génial, renchérit sombrement Edgar. Et le général n'a peut-être pas été sa seule victime. Je vais vous dire ce qui m'a mis la puce à l'oreille. J'ai trouvé des caractéristiques communes sur deux tableaux de peintres très différents. Des caractéristiques infimes. Mais en approfondissant mon examen, j'ai acquis la conviction que toutes les toiles du général ont été exécutées par la même personne.

Il se passa la main dans les cheveux d'un air perplexe.

— Et si je me trompais quand même ?

— C'est improbable, Edgar. Vous connaissez parfaitement votre métier. Quand allez-vous annoncer la nouvelle au général ?

— Pas avant d'avoir étudié à nouveau tous ces tableaux de plus près. Je ne peux évidemment pas le faire ce soir.

Au prix d'un grand effort, il réussit à sourire à Louise.

— Venez, retournons à l'intérieur et profitons de l'excellent champagne de nos hôtes ! Et surtout, n'en soufflez pas un mot à quiconque.

— Vous pouvez compter sur moi, répondit Louise.

Lorsqu'ils rentrèrent dans le château, elle aperçut Roland. Il se tenait seul, un peu à l'écart, l'air soucieux. Elle se retrouva en tête à tête avec lui tandis qu'Edgar partait chercher des coupes.

— Vous êtes rayonnante ce soir, déclara-t-il. L'arrivée d'Edgar vous a transfigurée.

— Mon aspect tient plus à ma robe qu'à la présence d'Edgar, affirma tranquillement Louise. Je n'ai jamais porté une toilette aussi magnifique. Ambre se montre trop généreuse, vraiment...

Elle s'interrompit, troublée par le regard de Roland qui, de ses épaules nues descendait le long de sa gorge, s'arrêtant au bord du décolleté, à la naissance de sa poitrine.

— Et le champagne me fait tourner la tête ! ajouta-t-elle en essayant de plaisanter.

Les yeux de Roland remontèrent jusqu'aux siens.

— A moins que ce ne soit l'amour ?

114

Louise se sentit rougir, et elle tenta de se donner une contenance en jouant les coquettes :

— Peut-être !

Edgar revint avec deux coupes et en offrit une à Louise avec un petit clin d'œil.

— Voilà, ma chère. Je bois à nous.

Il incluait Roland dans son toast mais, à l'expression de celui-ci, Louise devina qu'il ne l'avait pas interprété ainsi.

— A nous tous ! fit-elle pour dissiper le malentendu.

Très raide, Roland déclara quelques instants plus tard :

— Je crois que le dîner est servi. Venez-vous ?

Après le repas, Louise se trouva par un hasard malheureux en face à face avec Chantal d'Arbrisseau. Prenant sur elle de se montrer aimable, elle lui dit combien elle appréciait cette soirée. La jeune fille ne fit aucun cas de ce compliment et, sans ambages, elle sidéra Louise en affirmant à brûle-pourpoint :

— Vous perdez votre temps à courir après Roland.

Elle s'efforçait toutefois de conserver son sourire et d'avoir l'air de conseiller une amie. Nullement dupe, Louise fut frappée encore une fois par le pli dur de sa bouche et le feu que la jalousie allumait dans ses yeux.

— C'est agaçant pour lui, continua la jeune fille en éclatant d'un petit rire faux. Bien sûr, il ne peut pas s'empêcher d'être grand, beau et très séduisant. Mais je vous assure que vous n'avez rien à espérer.

— Je ne vois vraiment pas pourquoi vous me parlez ainsi, répliqua Louise.

Une moue d'impatience tordit les lèvres de Chantal, et son intonation perdit toute douceur :

— Ne faites pas l'innocente ! J'ai vu comment vous le regardez. Vous rêvez de l'attirer dans votre lit.

— Comment osez-vous me tenir ces propos ? rétorqua Louise, indignée. Je ne m'intéresse pas le moins du monde à Roland Winterhaven. Si quelqu'un désire l'attirer dans son lit, c'est plutôt vous ! Et je vous assure que vous n'y arriverez pas car il va épouser Ambre.

Chantal blêmit à son tour. Elle n'avait certainement pas prévu que Louise se défendrait avec cette vivacité. Elle releva la tête avec dédain, mais elle manquait à présent d'assurance et ne parvenait pas à le dissimuler tout à fait.

— Vous me rapportez de vulgaires commérages. Moi je vous garantis qu'il ne l'épousera pas.

Elle jeta à Louise un regard délibérément chargé de sous-entendus.

— J'en suis absolument certaine. Elle est plus âgée que lui. Ce mariage serait sans doute pratique pour leurs affaires mais Roland n'entre pas dans ce genre de considérations.

Une lueur féroce apparut dans ses yeux et elle ajouta avec force :

— C'est avec moi que Roland se mariera.

— Il peut épouser qui il veut, cela me laisse absolument indifférente, rétorqua sèchement Louise.

Ses paroles semblèrent convaincre à moitié Chantal qui l'interrogea avec un sans-gêne inqualifiable :

— Et M. Benson, qu'est-il pour vous ?

L'indiscrétion sans bornes de la jeune fille stupéfia Louise. Elle réussit toutefois à garder son sang-froid et lui répondit brièvement.

— Cela ne vous regarde pas.

— Oh, je ne vous demande pas de détails ! Du moment que vous ne vous occupez pas de Roland, le reste m'est totalement égal !

Louise ne souhaitait pas prolonger davantage l'entretien. Elle sentait qu'elle allait finir par s'emporter et prononcer des paroles regrettables. S'excusant, elle s'éclipsa dans les lavabos. Le miroir lui révéla un visage bouleversé, des yeux brillants et des joues rouges. Et, quand elle essaya de rafraîchir son maquillage et de se recoiffer, ses mains ne lui obéirent pas. L'attaque brutale de la jeune fille l'avait secouée. Elle s'en voulut de réagir ainsi, d'éprouver de la jalousie. Et pourtant, comme elle était jalouse... et d'Ambre et de Chantal !

— Ne sois pas ridicule, murmura-t-elle à son reflet dans la glace. Ne sois pas si bête !

Quelqu'un entra et elle rangea précipitamment son peigne et sa trousse de maquillage dans son sac. En repartant à la recherche d'Edgar, elle souhaita ardemment la fin de cette soirée. Il lui tardait de ne plus avoir à feindre la gaieté.

On se réveilla fort tard le lendemain au château des Ormeaux. Lorsque Louise descendit, elle s'aperçut qu'elle était la première prête. Elle croisa Céleste qui se montra surprise de la voir déjà levée.

— Je pensais que vous vouliez dormir plus longtemps ce matin. C'est pour cette raison que je ne vous ai pas monté votre petit déjeuner. Voudriez-vous le prendre sur la terrasse ?

Elle adressa à Louise un large sourire.

— Il fait très beau.

Louise accepta, se réjouissant de profiter du soleil, et elle fit quelques pas en attendant d'être servie. Céleste arriva rapidement avec un plateau qu'elle posa sur une table de jardin dans un coin abrité par des rhododendrons.

Elle questionna avec avidité Louise sur la soirée de la veille. La jeune fille s'efforça de satisfaire au mieux sa curiosité en lui décrivant en détail la réception. La domestique ne put s'empêcher de soupirer, trahissant son regret de ne pas connaître ce genre de fêtes. Si elle avait su à quels problèmes Louise s'y était heurtée, elle ne l'aurait peut-être plus tant enviée.

Après le départ de Céleste, elle but tranquillement son café et, malgré son désir d'observer un régime, elle ne résista pas aux croissants. Pourtant, ses vêtements de plus en plus serrés lui indiquaient qu'elle prenait du poids.

Le plaisir du petit déjeuner ne parvenait toutefois pas

à interrompre la ronde de ses pensées. Elle était impatiente de revoir Edgar pour savoir comment il avait décidé d'agir au sujet des tableaux. Bien que grave, ce problème ne réussissait pas à l'accaparer entièrement. Roland ne cessait d'envahir son esprit, et les paroles de Chantal la hantaient. Toute sa colère et son hostilité premières à l'égard de Roland renaissaient. Quel homme était-il pour jouer avec les sentiments des femmes ? D'abord incompréhensiblement brutal avec Louise, il s'était ensuite amusé à la désarmer au moyen de compliments et de baisers. Il lui avait fait la cour parce qu'il ne pouvait pas renoncer à son rôle de séducteur et, par-dessus le marché, il lui reprochait d'être liée à Edgar. Faisant la grimace, Louise reconnut que ce genre de raisonnement ne la menait à rien. A quoi bon incriminer Roland ? Elle était la coupable. Elle aurait dû rester sur ses gardes comme au début au lieu de céder à son charme insidieux. Allait-elle s'en prendre à quelqu'un d'autre si elle ne savait pas maîtriser ses émotions ?

Ayant terminé son petit déjeuner, elle était sur le point de retourner à l'intérieur du château lorsque Roland arriva. Elle devina tout de suite qu'il était déjà debout depuis longtemps comme à son habitude. Il prit place à la table, s'installant dans une pose décontractée et se balançant légèrement en regardant Louise.

— Bonjour, Louise. Comment va la reine du bal ce matin ?

— Si vous voulez parler d'Ambre... ou de Chantal... commença-t-elle avec plus d'agressivité qu'elle ne l'aurait désiré.

— Non, je parle de vous, fit-il avec une expression amusée. Si vous compreniez mieux le français, vous auriez perdu la tête en entendant tous les propos flatteurs que vous avez suscités hier soir.

— Peut-être vaut-il mieux que je n'aie pas compris, répliqua-t-elle en sentant une vive rougeur envahir ses joues.

118

En dépit de ses résolutions, la présence de Roland jetait une fois de plus le trouble en elle.

Son regard pénétrant quitta son visage non maquillé pour descendre le long de son buste vêtu d'une fine tunique en coton brodé. Puis il contempla ses belles jambes révélées par le pantalon serré et ses petits pieds chaussés de sandales. Au terme de cet examen, il la regarda de nouveau dans les yeux en souriant.

— Vous avez l'air d'une gamine ce matin, Louise, et vous êtes aussi charmante ainsi que dans votre tenue de princesse.

Préférant encore la brutalité de Roland à cette galanterie déconcertante, elle s'empressa de lancer :

— Les autres sont-ils levés ?

— Je ne crois pas. Nous nous sommes couchés tard. Je suis surpris de vous trouver déjà debout.

— Je me lève toujours tôt… enfin presque toujours.

Roland éclata d'un rire gentiment moqueur.

— Vous serez une bonne épouse de fermier. Edgar nous a dit qu'il possédait une ferme en Angleterre.

— Oui, dans le Wiltshire. C'est un endroit charmant, expliqua Louise, se rendant compte qu'elle sous-entendait entre Edgar et elle une grande intimité qui n'existait pas.

Edgar ne l'avait emmenée qu'une seule fois dans sa ferme et, en découvrant avec étonnement à quel point il aimait la campagne, elle s'était demandé un moment si elle n'arriverait pas à s'éprendre de lui.

— Mais un peintre, je suppose, préfère les villes, ajouta Roland. Il a besoin des galeries et des personnalités du monde de l'art.

Louise secoua énergiquement la tête.

— Pas du tout. Je rêve de pouvoir vivre à la campagne. Je suis née dans un village, mes grands-parents étaient fermiers et la tante qui m'a élevée habite dans un coin désert d'Ecosse.

— Je vous prêtais des goûts plus sophistiqués, observa Roland, l'air dérouté.

— Vraiment ? fit-elle, saisie à son tour.

Il l'étudia quelques instants d'un air songeur.

— A la réflexion, le vernis est un peu mince. A bien des points de vue, vous n'êtes peut-être pas celle que vous semblez être.

Inquiète du tournant dangereux pris par la conversation, Louise se leva brusquement et annonça :

— Je dois aller travailler. Veuillez m'excuser...

En s'éloignant, elle ajouta :

— Si vous voyez Edgar, pourriez-vous lui dire que je suis dans l'atelier ?

Roland hocha la tête et elle partit en sentant le poids de son regard sur elle.

En fait, elle ne rencontra Edgar qu'à l'heure du déjeuner et les circonstances ne leur permirent pas d'aborder la question des tableaux. A table, la discussion tourna autour de la réception de la veille, puis Ambre proposa à Edgar de lui faire visiter son jardin dans l'après-midi. Pour plaisanter, elle lui suggéra de mettre des bottes et de l'aider à soigner les plantations. A la grande surprise de Louise, Edgar accepta avec empressement. Il apprit aussi à ses amis qu'il se rendrait le lendemain chez le général d'Arbrisseau afin d'examiner sa collection et de discuter les prix proposés par la compagnie d'assurances.

— Et vous, Louise, que ferez-vous cet après-midi ? s'enquit Ambre.

— Je vais peindre, répondit-elle.

— Aurez-vous besoin des enfants ?

— Non, la phase actuelle de mon travail ne nécessite pas leur présence.

— Tant mieux ! déclara Philippa. Je leur avais promis une sortie pour les consoler de n'être pas venus avec nous hier soir. Un cirque est justement de passage à Tours.

Après le repas, Louise passa une heure à peindre les enfants, puis elle décida de se remettre au portrait de Sir Peter. Hélas, en dépit d'un regain d'espoir, elle

120

n'aboutit à aucun résultat. Elle passa d'une photographie à l'autre et relut des passages de sa biographie sans trouver l'inspiration.

« Mes difficultés tiennent peut-être à mon incapacité à l'imaginer dans une situation héroïque, se dit-elle. Si j'avais connu la guerre, ce serait différent. »

Ambre lui avait appris que la bibliothèque était riche en ouvrages sur la Résistance et la Seconde Guerre mondiale en général. Louise eut l'idée d'aller en consulter quelques-uns. Peut-être y découvrirait-elle un stimulant pour son travail.

Elle nettoya ses pinceaux et descendit. Un silence absolu régnait à l'intérieur du château. Dans la bibliothèque, les volets étaient tirés, mais il faisait suffisamment clair pour lire. Elle repéra les livres qui l'intéressaient et les parcourut avidement. Retenant celui qui correspondait le plus à ses préoccupations, elle décisa de l'emporter dans son atelier.

Au moment où elle se préparait à sortir de la pièce, quelque chose fila près d'elle le long de la plinthe. Distinguant une souris, Louise fit un bond de frayeur et, pour ne pas perdre l'équilibre, elle s'accrocha à un élément en relief des lambris sculptés qui ornaient les murs. A sa grande surprise, elle entendit un net déclic et le panneau de bois glissa, révélant une cachette.

Oubliant complètement la souris, Louise examina avec une vive curiosité ce qui ressemblait à l'entrée d'un passage secret.

Retenant son souffle, elle s'efforça de voir ce que recelait ce couloir obscur. Toutes sortes de pensées traversaient son esprit. Ambre connaissait-elle ce passage ? Et Roland ? Louise était peut-être tombée par hasard sur un tunnel médiéval ignoré de tout le monde. A cette idée, elle se sentait déjà toute fière. Cette ouverture mystérieuse menait sans doute à des cachots...

N'ayant pas le courage de partir en exploration toute seule, Louise préféra solliciter le concours de quel-

qu'un. Elle repoussait soigneusement le panneau quand
une main se posa sur son épaule. La voix de Roland
s'éleva derrière elle, chargée d'intonations mena-
çantes :

— Où allez-vous, Louise ?

9

Toute l'exaltation que la découverte avait procurée à Louise retomba. Il était clair que Roland connaissait le secret et qu'il lui déplaisait souverainement de le partager avec la jeune fille.

— Je... j'ai touché le panneau par hasard. Une souris est passée... dans ma frayeur j'ai sursauté... je me suis accrochée à cette boule sculptée... et le panneau a glissé.

Elle avait l'impression d'essayer de se justifier comme un cambrioleur pris sur le fait.

— Vous êtes pire que la peste et le choléra ! décréta Roland sur un ton furieux.

Ses yeux gris lançaient des éclairs.

— Vous faites tout ce qu'il faut pour provoquer une catastrophe. Vous êtes contente de vous, j'espère ? Au point où nous en sommes, autant que je vous dise la vérité. Si seulement vous vous étiez tenue tranquille quelques jours encore, nous aurions pu...

Au lieu de terminer sa phrase, il la prit par le bras.

— Venez !

Il l'entraîna dans le passage secret et alluma une lampe qu'il sortit de sa poche.

Nullement rassurée, Louise tenta de se dégager.

— Non, je n'entre pas là avec vous ! Qu'est-ce que cela signifie ?

— Vous verrez, répondit-il durement.

Elle essaya de résister mais il était beaucoup plus fort qu'elle.

— Cessez donc de faire des histoires et suivez-moi ! N'importe qui peut pénétrer dans la bibliothèque et je n'ai pas envie qu'on nous surprenne.

— Voulez-vous dire qu'à part vous, personne ne connaît ce passage ?

— Exactement. Alors, me suivez-vous ou dois-je vous porter ?

Roland avait déjà jeté une fois Louise en travers de son épaule, le soir de son arrivée. Ne voulant pas subir de nouveau cette humiliation, elle s'empressa de lui obéir.

Il repoussa le panneau derrière eux et elle ne put s'empêcher de frissonner lorsqu'elle entendit le déclic. Elle se trouvait seule avec Roland à présent, sans savoir où il la conduisait, ni pourquoi. Sa lampe n'était pas très puissante et, au bout de quelques mètres, il avertit la jeune fille :

— Attention, il y a des marches maintenant.

Il la tenait par la main et la tirait. Louise descendit un interminable escalier en pierre qui ne cessait de tourner. Il menait de toute évidence sous le château. Repensant aux cachots, Louise eut très peur.

Au bas de l'escalier, une odeur de cigarette se mêlait à celle de moisi. Quelqu'un fumait, ce ne pouvait être que Henri. A cet instant, Louise se rappela le jour où elle l'avait suivi dans la bibliothèque. Il avait alors inexplicablement disparu.

Ils arrivaient à présent devant une porte sous laquelle filtrait un mince rai de lumière.

Lorsque Roland ouvrit, la clarté et la chaleur surprirent Louise. Il la poussa à l'intérieur de la pièce et referma la porte. D'abord trop éblouie après le temps passé dans l'obscurité, la jeune fille ne distingua rien. Mais quand elle retrouva la vue, un cri lui échappa. Sur le mur, en face d'elle, était accroché le tableau qu'elle avait admiré la veille chez le général d'Arbrisseau. Comment était-ce possible ? Son regard parcourut lentement les autres murs. Il y avait là toute la collection que Sir Peter avait vendue à son voisin. Elle se retourna vers Roland, quêtant une explication. L'expression de son compagnon ne fit que confirmer l'horrible conclusion qui se formait dans son esprit.

— C'est vous ! s'écria-t-elle, incrédule. C'est vous qui avez volé les originaux et les avez remplacés par des copies !

Soudain, cette pensée lui fut intolérable. Roland ! Non, il ne pouvait pas être coupable d'un acte pareil ! Roland n'était pas un escroc... L'homme qu'elle aimait n'était pas malhonnête... non. Avec un petit gémissement, elle s'écroula sur le sol.

Lorsqu'elle revint à elle, elle était allongée sur un lit de camp dans la même pièce. Les tableaux étaient toujours accrochés aux murs, elle n'avait pas rêvé. Roland se tenait près d'elle, un verre à la main. Un peu plus loin, Henri les observait.

Roland s'accroupit et, aidant Louise à lever la tête, il approcha le verre de ses lèvres.

— Buvez, c'est de l'eau-de-vie.

Louise remarqua qu'Henri était vêtu d'une blouse couverte de peinture. Derrière lui se dressait un chevalet portant un tableau presque terminé. Louise avala quelques gouttes du liquide brûlant et repoussa le verre.

— Je... je vais très bien, fit-elle d'une voix tremblante. Mais j'ai reçu un tel choc.

Roland se redressa et la considéra d'un air railleur.

— Comment avez-vous fait pour voir que ce sont les originaux au premier coup d'œil ?

— Je savais que les autres sont des copies, expliqua-t-elle. Edgar s'en est aperçu.

Une vague d'angoisse déferla en elle.

— Roland... pourquoi ? Pourquoi avez-vous fait cela ?

S'asseyant sur le lit, elle lui prit la main.

— Pourquoi?

Au lieu de lui répondre, Roland se tourna vers Henri.

— Je vous avais prévenu que Benson n'était pas un sot, déclara-t-il sur un ton sinistre. Je crois que nous avons perdu, Henri.

L'homme écarta les bras en un geste de désespoir.

— J'ignorais que Henri peignait, remarqua Louise.

Bien souvent, il s'était attardé auprès d'elle pour la regarder travailler, mais il n'avait jamais engagé la moindre discussion.

— Henri est-il l'auteur des faux? demanda-t-elle.

— Oui, reconnut Roland avec un sourire. Mais il peint aussi ses propres tableaux et il les vend très bien.

Brusquement, l'expression de Roland s'assombrit et il revint à un sujet plus grave :

— Edgar a-t-il prévenu le général?

— Pas encore.

Il s'assit sur le lit à côté de Louise, le menton dans les mains, offrant le spectacle d'un abattement total. Louise dut résister au désir de passer un bras autour de ses épaules pour le réconforter. Elle n'aurait pas dû avoir pitié d'un voleur.

Au bout d'un moment, il se tourna vers elle et annonça :

— Il ne faut pas se fier aux apparences, Louise. Je ferais mieux de tout vous raconter et ensuite, vous me croirez... ou vous ne me croirez pas... Vous êtes libre.

— Je ne peux pas m'imaginer... murmura-t-elle, que vous...

Elevant la main, il lui imposa le silence.

— Ecoutez-moi, Louise. Nous n'avons pas volé les originaux, Henri et moi, pour les remplacer par des copies. Au contraire, nous nous efforçons de rendre les originaux à leur propriétaire.

D'abord bouche bée, Louise s'écria ensuite :

— Les rendre!

— Oui, aussi bizarre que cela vous paraisse. Nous avons essayé du moins, et misérablement échoué. C'est une longue histoire mais je vais tenter d'être bref. Il y a quelques années, Sir Peter Winterhaven a constitué une collection très intéressante que Raoul d'Arbrisseau, parmi d'autres, lui a enviée. Peter n'éprouvait pas beaucoup de sympathie pour lui. Il le jugeait sans cœur et sans cervelle, mais toujours prêt à jeter de la poudre aux yeux des gens. Lorsque Peter décida de fonder un foyer d'anciens combattants, le général lui refusa sa contribution financière. Il lui proposa en revanche d'acheter sa collection afin de lui procurer de l'argent. Cette offre écœura Peter. Malheureusement, il fut finalement obligé de l'accepter. Le général lui offrait d'ailleurs un prix bien inférieur à celui qu'il pouvait obtenir sur le marché.

— Alors pourquoi n'a-t-il pas vendu sa collection à un autre ? s'étonna Louise.

— Pour pouvoir la garder ! Henri réussissait d'excellentes copies et jusque-là, il ne les avait jamais fait passer pour des originaux. Henri n'est pas un malfaiteur.

Louise considéra l'homme qui attendait toujours un peu plus loin. La fumée de sa cigarette montait en spirale jusqu'au plafond.

— En travaillant nuit et jour pendant quelques mois, poursuivit Roland, Henri parvint à reproduire toute la collection. Après quoi, Peter consentit à céder ses toiles au général. Il a sans doute éprouvé une grande satisfaction à voler le voleur.

— J'ai du mal à imaginer Peter Winterhaven accomplissant une telle escroquerie, avoua Louise.

— Non, cela ne correspond pas à l'image du héros, mais c'est pourtant vrai, je vous le garantis.

— Et vous étiez au courant ?

— Pas avant ces derniers mois, lorsque j'ai découvert par hasard une autre entrée dans les bâtiments où nous fabriquons le vin.

— Ambre ne connaît même pas le passage de la bibiothèque ? Son mari le lui a sûrement montré.

— Il semble que non. Au début, Peter gardait secrets tous les endroits où il avait caché des gens pendant la guerre et ensuite, il a eu une bonne raison pour ne pas en parler à Ambre. J'ai été moi-même sidéré quand je l'ai trouvé. Henri n'avait pas trahi son maître. D'abord, j'ai pensé tout avouer au général et lui restituer les originaux. Puis, connaissant son égoïsme et sa vanité, j'ai craint un scandale de sa part. Je ne pouvais pas en prendre le risque... à cause d'Ambre.

« Bien sûr, songea Louise, il a voulu éviter un choc à la femme qu'il aime. »

— Alors je n'ai pas bougé, poursuivit Roland. Puis le général a décidé d'exposer sa collection et j'ai eu peur qu'un expert comme Edgar ne découvre la supercherie. Je me suis mis d'accord avec Henri pour rapporter les originaux chez le général, discrètement, bien sûr. Les d'Arbrisseau étaient en voyage pour plusieurs semaines, Ambre se trouvait au même moment à Londres, c'était un jeu d'enfant. Henri a de nombreux talents et il lui était facile de réaliser des doubles des clés du château des d'Arbrisseau.

— La décision d'Ambre de m'inviter pour exécuter les portraits de ses enfants a dérangé vos plans, glissa Louise qui commençait à comprendre.

— Oui et dans l'affolement, j'ai perdu la tête. C'est surtout vous qui en avez fait les frais, j'en suis désolé.

Il poussa un soupir déchirant avant d'ajouter :

— Je voulais tellement épargner ce chagrin à Ambre, éviter que l'image de Peter ne soit ternie dans son souvenir. C'était un homme très bon, il a commis une erreur, mais il n'était pas vraiment un escroc. Il avait estimé que le général méritait une leçon. Personne n'est parfait. Même les héros s'égarent parfois. Imaginez l'horrible scandale, à si peu de temps des cérémonies destinées à honorer sa mémoire.

— Vous avez décidé de prendre de grands risques,

observa Louise, pour la réputation de votre oncle comme pour la vôtre.

— Lui aussi a su prendre des risques pour sauver des gens pendant la guerre, et il s'est toujours montré bon envers moi. Il m'a traité comme un fils.

Emue jusqu'aux larmes, Louise se rendit compte à quel point elle aimait cet homme. Auparavant, elle n'avait pas voulu se l'avouer mais à présent, cette vérité éclatait dans son cœur.

— Un scandale nuirait à beaucoup de gens, admirateurs ou amis de Peter, continua Roland. Et surtout à Ambre. Or je ne veux pas qu'elle souffre, elle est si... fragile.

Une vive douleur traversa la poitrine de Louise. Roland était profondément épris d'Ambre. Le risque, il l'avait autant pris pour elle que pour Sir Peter.

— D'après Edgar, seuls deux des tableaux sont authentiques, déclara la jeune fille.

— Ce sont ceux que nous avons réussi à mener à bon port, expliqua Roland avec un sourire amer. Les deux fois, vous nous avez surpris, Henri et moi. Le soir où vous vous promeniez au clair de lune, vous en souvenez-vous ? Et le jour où je vous ai trouvée dans les caves. J'étais persuadé que vous aviez des soupçons. Vous m'avez affolé, je vous assure.

— J'étais pourtant à mille lieues de me douter d'une pareille affaire, assura Louise.

— J'avais peur que vous remarquiez des faits étranges et que vous les rapportiez à Ambre. Elle se serait mise à poser des questions et je ne sais pas comment j'aurais pu continuer à cacher mon jeu. Je ne suis pas un bon gangster ! Je n'ai pas les nerfs assez solides pour ce genre d'activité !

Il essayait de plaisanter mais ce sujet lui inspirait en réalité une profonde inquiétude.

— Je regrette d'avoir tout gâché par ma présence, murmura Louise.

Roland la considéra sans rancune.

— Comme vous refusiez de partir, nous avons décidé de tenter notre chance quand même.

— Vous auriez dû me confier votre problème.

— C'était impossible. Je ne vous connaissais pas encore. Plusieurs fois, j'ai été tenté de vous parler, mais il m'a semblé préférable de garder le secret.

— Le retour avancé des d'Arbrisseau a compliqué la situation.

— Et comment ! confirma Roland avec une grimace. Nous avons essayé d'opérer à leur barbe, mais le maudit chien de Chantal se promène dans le château pendant la nuit et il aboie dès qu'il aperçoit sa propre ombre. Alors nous avons résolu d'attendre le moment favorable, en priant pour que les d'Arbrisseau partent pour Cannes le plus vite possible. Mais à présent, Edgar a découvert la vérité...

Un lourd silence tomba dans la pièce. Roland était toujours assis sur le lit, le dos voûté, la tête basse, l'air désolé. Un découragement infini se lisait sur ses traits. Louise l'aimait et souffrait parce qu'il en aimait une autre. Néanmoins, elle souhaitait l'aider de tout son cœur.

Saisie d'une illumination, elle s'écria soudain :

— Le général ignore encore qu'il ne possède que des faux. Edgar le voit seulement demain.

— Et alors ? Il nous faudrait plus de temps pour substituer les originaux aux copies.

— Edgar accepterait peut-être de se taire sur ce sujet.

— Il ne va tout de même pas compromettre sa réputation d'expert ! objecta Roland.

Il poussa un soupir à fendre l'âme.

— Il n'en est pas question, affirma Louise. Mais j'ai une bonne idée. Supposons qu'Edgar persuade le général de lui confier sa collection, le temps de nettoyer les tableaux et de leur apporter tous ces petits soins dont ils ont besoin avant d'être exposés... Le général acceptera sûrement. Il veut que ses tableaux produisent le meilleur effet... Alors la substitution ne posera plus le moindre problème.

Une expression d'incrédulité se peignit sur le visage de Roland.

— Vous seriez prête à convaincre Edgar de me rendre ce service ?

— Je veux bien essayer.

— Pour quelle raison ? demanda-t-il en observant attentivement Louise.

Détournant la tête, elle murmura :

— Comme vous, je voudrais éviter une souffrance à Ambre.

— Et évidemment, Edgar est disposé à faire n'importe quoi pour vous, fit-il, songeur.

— Je l'espère, répondit-elle avec un sourire.

Se levant, elle marcha un peu d'un pas mal assuré. Roland la rejoignit et passa un bras autour de ses épaules.

— Louise, je ne sais pas comment vous remercier.

— Ce n'est pas le problème. Je crois que je devrais partir avant que quelqu'un ne s'aperçoive de mon absence.

Au lieu de la lâcher, Roland se pencha et l'embrassa. Elle répondit malgré elle à son baiser. Elle savait pourtant qu'il s'agissait d'un simple geste de gratitude. Roland la remerciait seulement d'épargner une cruelle épreuve à sa future épouse.

— Vous êtes toute rouge ! lança Edgar qui croisa Louise dans l'escalier un instant plus tard. Quelqu'un vous aurait-il embrassée ?

— Non !

— Alors il faut que je me dévoue !

Il la prit doucement par les épaules et déposa un baiser sur sa joue. Roland apparut juste à cet instant. Louise s'écarta, mais trop tard ; il avait surpris la scène. C'était peut-être mieux ainsi. Si Roland croyait à des liens sérieux entre Louise et Edgar, il ne risquait pas de deviner les vrais sentiments de la jeune fille.

Il monta rapidement l'escalier en n'accordant qu'un bref salut aux deux personnes arrêtées sur une marche.

Dès qu'il fut hors de vue, Edgar déclara :

— Il a l'air contrarié. Serait-il jaloux parce que je vous ai embrassée ?

— Cela m'étonnerait ! répliqua Louise.

Elle s'empara du bras d'Edgar et l'entraîna énergiquement.

— Edgar, il faut que je vous parle en privé d'une chose importante.

— Vous m'intriguez.

— J'espère que vous n'avez encore rien dit à Ambre au sujet des tableaux ?

— Non, je n'informerai personne avant d'avoir procédé à de nouvelles vérifications.

Louise poussa un soupir de soulagement.

— C'est parfait. Continuez à garder le secret, je vous en prie.

— Pourquoi ?

— Je vous expliquerai plus tard.

Il fut bientôt l'heure du déjeuner et tandis qu'Ambre se dirigeait la première dans la salle à manger avec Edgar, Roland s'attarda en arrière pour questionner Louise :

— Lui avez-vous parlé ?

— Je n'en ai pas encore eu le temps, mais comptez sur moi.

La déception qu'elle lut sur le visage de Roland lui inspira une vive compassion. D'instinct, elle prit sa main et la serra.

— Ne vous inquiétez pas. Tout ira bien avec Edgar. C'est un homme de bon sens.

Parvenant à sourire, Roland pressa les doigts de Louise en murmurant :

— Je suis sûr qu'il a du bon sens, sinon vous n'auriez pas accepté de l'épouser !

En dépit de ses efforts, Louise ne réussit pas à obtenir un tête-à-tête avec Edgar. Après le dîner, il s'installa confortablement dans un fauteuil du salon et joua aux échecs avec Ambre.

— Vous allez me battre ! lança gaiement la jeune femme. Je suis trop distraite, Roland me le dit toujours.

Philippa ne tarda pas à s'excuser et elle se retira. Louise resta alors seule avec Roland. Ils se donnèrent beaucoup de mal pour entretenir une conversation d'où le sujet qui les préoccupait le plus était absent.

Au bout d'un moment, Louise perdit l'espoir de parler à Edgar ce soir-là. Et comme la proximité de Roland la plongeait dans un émoi difficile à contrôler, elle décida de monter elle aussi dans sa chambre.

Lorsqu'elle se leva pour prendre congé, Ambre essaya de la retenir. Elle s'excusa de l'avoir négligée et promit de ne pas entamer une seconde partie. Roland intervint fermement :

— De mon côté, j'ai du travail dans mon bureau. Alors si Louise souhaite se coucher, vous pouvez en profiter pour jouer tous les deux. Vous avez l'air passionnés.

L'observant à la dérobée, Louise vit qu'il était irrité. En la quittant au pied de l'escalier, il lui lança :

— Edgar fait la cour à Ambre et cela ne semble pas vous déranger du tout !

Lui au contraire ne cachait plus sa contrariété. Louise se contenta de hausser les épaules.

— Je ne pense pas qu'Ambre ait des visées sur Edgar.

— Je vous trouve bien confiante.

Lasse de cette conversation sans issue, Louise souhaita vite une bonne nuit à son interlocuteur et s'éloigna.

Le lendemain matin, elle parvint enfin à voir Edgar en privé. Se sentant fautif de n'avoir pas été disponible le soir précédent, il se justifia :

— Je ne pouvais pas refuser de jouer avec Ambre, n'est-ce pas ?

Ils marchaient dans le jardin, se dirigeant vers un banc que Louise avait repéré près du lac.

— Je crois que vous avez rendu Roland un peu jaloux, ne put-elle s'empêcher de dire.

— Je ne faisais rien de mal ! protesta Edgar, s'estimant injustement mis en cause. C'était Ambre qui jouait la coquette !

Il prit un air malicieux pour ajouter :

— Mais vous êtes peut-être jalouse aussi ?

— Allons, Edgar !

— Bien, bien, je ne vous taquinerai plus à ce sujet. Dévoilez-moi donc plutôt cette affaire mystérieuse.

Ils s'assirent, et Louise prit une grande inspiration avant d'annoncer :

— J'ai trouvé les originaux des tableaux.

Edgar sursauta à côté d'elle.

— Que dites-vous ?

Ses yeux s'arrondirent démesurément, et Louise ne put réprimer un sourire. Le doute s'insinuant en lui, il ajouta :

— Vous vous moquez de moi !

— Non, c'est la vérité. Ayez la gentillesse de me laisser tout vous raconter et de réserver votre opinion pour la fin.

Il l'écouta en silence, comme elle l'en avait prié. Lorsqu'elle eut terminé, il ne parla pas tout de suite.

— Eh bien, prononça-t-il enfin, c'est l'histoire la plus surprenante que j'aie jamais entendue. Peter Winterhaven, un escroc ! De quelqu'un d'autre que vous, je ne l'aurais pas cru.

— Il n'était pas vraiment un escroc, enfin pas au sens habituel du terme.

Louise posa sa main sur le bras d'Edgar.

— Si la vérité éclate, imaginez-vous le scandale ! Ambre sera la première à en souffrir.

— Quelle solution proposez-vous ? s'enquit Edgar, la mine sombre.

Le moment délicat arrivait. Louise se mordilla les lèvres.

— Je... j'ai un plan, annonça-t-elle. J'espère que vous accepterez de coopérer.

— Je ne veux pas tremper dans une affaire malhonnête, rétorqua immédiatement Edgar sur un ton sans réplique.

— Ce ne sera pas... très malhonnête, promit Louise.

Elle expliqua comment elle avait pensé pouvoir procéder à la substitution et acheva son discours par une prière :

— Il s'agit seulement d'une petite ruse pour remettre les choses en ordre. C'est le seul moyen d'éviter un drame. Edgar, s'il vous plaît... Quel coup se serait pour Ambre si elle apprenait la vérité !

Edgar se frottait le menton en réfléchissant.

— Oui, vous avez raison... pauvre Ambre ! Surtout maintenant, avec toutes les cérémonies qui sont prévues. Oui, elle serait désespérée, d'autant plus qu'elle idolâtrait son mari. Ce serait une humiliation terrible pour elle et pour les enfants...

Peu à peu, Louise reprenait confiance. Edgar était foncièrement bon. Comme Roland, comme elle-même, il ne supportait pas l'idée d'infliger à Ambre une aussi cruelle désillusion.

Encore sidéré, il secouait la tête, exprimant sa perplexité.

— Je n'arrive pas à le croire. Peter ! Il a pris un risque énorme, Louise. On aurait pu s'apercevoir de la supercherie de son vivant.

— Je suppose qu'il avait bien calculé son coup, comme pendant la guerre.

— Pourtant, il aurait pu se contenter d'aller voir ses tableaux chez le général. Ce n'est pas comme s'il les avait vendus à un étranger.

— Et sa fierté, Edgar, qu'en faites-vous ? N'analysons pas trop les motifs de cet homme. Il reste tout de même un héros. Nous n'avons pas le droit de détruire cette image parce que nous lui avons trouvé une faiblesse.

— Roland vous a gagnée à sa cause, fit remarquer Edgar d'un air malicieux.

— Sans moi, son plan aurait réussi.

— Mais rien n'est perdu. J'ai l'impression que vous êtes prête à faire n'importe quoi pour lui ! lança Edgar en étudiant l'expression de son amie.

Elle se sentit rougir et balbutia :

— Ce n'est pas pour lui…

— Non ? Vous avez changé, Louise, depuis votre départ de Londres. J'ai l'impression que vous êtes amoureuse.

— Mais pas du tout ! Est-il si invraisemblable que je me soucie d'épargner à Ambre une grande douleur ?

— Bon, admettons, accorda-t-il d'une voix apaisante. J'accepte de vous aider, mais n'oubliez pas que la réussite n'est pas garantie.

Louise lui décocha son plus encourageant sourire.

— Je suis sûre que nous réussirons.

Cet après-midi-là, pendant qu'Edgar se rendait chez le général, Louise s'attaqua une fois de plus au portrait de Sir Peter. Et le miracle se produisit : cette nouvelle tentative ne resta pas vaine comme les précédentes.

S'écartant un peu de son travail pour le considérer d'un œil critique, Louise s'estima enfin satisfaite. Elle était sur le bon chemin. Pourquoi avait-elle échoué les jours passés, pour sortir de l'impasse aujourd'hui ? C'était l'un des mystères de la peinture.

— Oubliez les mystères et travaillez avec votre cœur ! lui avait souvent dit Edgar.

Cher Edgar ! Son aide lui avait toujours été précieuse. Le meilleur moyen pour Louise de lui prouver sa gratitude n'était-il pas de l'épouser ? Mais là aussi, elle rencontrait un mystère. Elle le respectait, elle l'admirait, elle était profondément attachée à lui et pourtant, elle savait qu'elle ne l'aimait pas vraiment.

Un peu plus tard, on frappa à la porte de l'atelier.

— Entrez ! cria Louise.

Elle s'attendait à voir Edgar, de retour de sa délicate mission, mais ce fut Roland qui apparut sur le seuil.

— Est-ce que je vous dérange ?

Il hésita, inspectant la pièce du regard.

— Je pensais qu'Edgar était peut-être revenu.

Sa palette et son pinceau à la main, Louise ne bougeait pas. Une intense émotion la paralysait. Elle aurait voulu courir se jeter dans les bras de Roland et l'assurer que les événements prenaient bonne tournure. Au lieu de cela, immobile et muette, elle le contempla.

Lorsqu'elle retrouva enfin l'usage de la parole, elle répondit :

— Non, il n'est pas là, mais il montera me voir dès son arrivée.

Il ne repartit pas alors comme elle l'escomptait. Il pénétra dans l'atelier et les souvenirs de sa brutalité lors du premier soir assaillirent Louise. En se revoyant jetée en travers de son épaule comme un vulgaire paquet, elle rougit. Elle connaissait cependant suffisamment Roland à présent. Ce n'était pas un homme violent. Seules des situations désespérées pouvaient le pousser à des actions aussi excessives.

Il observait Louise, un lent sourire se formant sur ses lèvres fermes et sensuelles. Lui aussi, il était en train de se rappeler la scène, elle l'aurait juré. Il déclara soudain :

— J'espère que vous m'avez pardonné la manière dont je vous ai traitée le premier jour. Je n'ai pas d'excuses, mais...

— Je regrette de m'être montrée si entêtée, assura-t-elle.

Il s'approcha du chevalet et étudia l'ébauche du portrait pendant quelques instants.

— C'est extraordinaire, Louise. Je retrouve tout à fait Peter. Je suis impatient de voir le résultat final.

Tant d'approbation de la part de Roland emplit Louise de joie et de confusion.

— Ambre est enchantée des tableaux des enfants, ajouta-t-il. Moi aussi, d'ailleurs. Vous possédez un pinceau magique.

— Merci.

Il éclata d'un rire mélodieux.

— J'admire votre patience. Ce doit être très éprouvant d'essayer de fixer sur la toile des êtres qui ne cessent de bouger.

— Oh, les enfants se tiennent parfois très tranquilles, expliqua-t-elle. Ils ne me donnent aucune difficulté. Selena fait preuve d'un certain talent elle-même. Avez-vous vu ses dessins ?

En tant que futur père des enfants, elle pensait que Roland devait s'intéresser à leurs activités. Et d'un autre côté, la jeune fille souhaitait créer une diversion car elle éprouvait jusqu'au vertige, la tentation de se blottir contre lui.

Elle s'écarta vite pour chercher les dessins de Selena. Ils les commentèrent un moment puis, lorsque le sujet fut épuisé, Louise se sentit toujours aussi tendue. Elle jeta un coup d'œil impatient à sa montre.

— Je me demande à quelle heure Edgar va revenir.

Roland ne répondit pas mais passa l'index sur sa joue. Instinctivement, elle recula.

— Vous aviez de la peinture, fit-il sur un ton taquin.

Il s'empara d'un chiffon et s'appliqua à faire disparaître complètement la tache. Très raide, Louise le laissa faire, s'efforçant de réprimer les frémissements qui la parcouraient.

— Je me couvre de peinture tous les jours ! lança-t-elle avec un petit rire nerveux en montrant sa blouse maculée de couleurs.

Roland reposa le chiffon et, soudain pris de remords, il s'excusa :

— Je vous fais perdre votre temps.

Il la considéra une seconde d'un air songeur, puis lui demanda :

— Combien de temps comptez-vous rester encore ici ?

Formulant l'idée qui la hantait depuis le matin, elle annonça :

— Je songe à repartir avec Edgar. Je peux terminer les portraits chez moi, à Londres. Quand Ambre viendra en Angleterre avec les enfants, je lui livrerai le travail achevé.

— Alors je ne dois pas vous ennuyer, conclut Roland.

Louise ne souhaitait pas sa présence qui la troublait bien trop, mais elle désirait encore moins son départ.

— Le soir tombe, il n'y a plus assez de lumière pour peindre, affirma-t-elle. Asseyez-vous donc, nous allons attendre Edgar ensemble. Il ne tardera plus.

Ne se faisant pas prier, Roland s'assit sur le bord du canapé, les mains posées sur ses genoux. Soudain, Louise ne trouva plus rien à lui dire. Pour se donner une contenance, elle nettoya d'un air affairé ses pinceaux et rangea son matériel. De son côté, Roland semblait trop soucieux pour entretenir une conversation banale.

Un petit coup résonna enfin sur la porte, et ils sursautèrent tous les deux.

— Entrez ! répondit Louise.

Edgar apparut et s'enquit :

— Que se passe-t-il ? Une panne d'électricité ?

— Non... je... balbutia Louise, s'en voulant de cet embarras ridicule.

— Alors que faites-vous dans le noir ?

Apercevant tout d'un coup Roland, il s'écria :

— Ah, Roland, pardonnez-moi, je ne vous avais pas vu !

Roland se leva et alluma la lumière. Abordant

immédiatement le sujet qui les préoccupait tous les trois, Louise demanda :

— Quelles nouvelles nous rapportez-vous, Edgar ?

Il s'installa sur le canapé. Son visage ne trahissait rien de ses pensées, et il laissa s'écouler un long moment avant de lever la tête vers Louise et de lui adresser un large sourire.

— C'est gagné ! annonça-t-il enfin.

Tout le monde était allé se coucher mais Louise, se sachant incapable de dormir, ne s'était même pas déshabillée. Elle redescendit et, sortant doucement du château, elle marcha jusqu'au lac. Un vent léger parcourait sa surface de soie argentée au clair de lune.

Louise fixa l'étendue d'eau en songeant que cet univers appartiendrait bientôt au passé. A la pensée de repartir, son cœur se serrait.

Il arriva très doucement derrière elle. Elle ne s'aperçut de sa présence que lorsqu'il lui toucha le bras. Elle sursauta.

— Roland !

— Vous ne dormez pas non plus ? murmura-t-il.

— Non.

— Avez-vous des regrets ?

— Pourquoi devrais-je en avoir ? répliqua-t-elle, étonnée par cette question.

Il haussa les épaules.

— Je vous suis très reconnaissant, Louise.

— Je vous en prie, c'est inutile, assura-t-elle, se sentant terriblement mal à l'aise.

Il la regarda fixement.

— Vous n'êtes pas du tout comme je vous ai jugée au premier abord, quand vous étiez timidement assise dans le salon de la mère d'Ambre à Londres. Je vous prenais pour une petite timorée et...

— Je...

— Ensuite, vous vous êtes révélée tout autre, courageuse et très active. En même temps, vous me paraissiez toujours assez nerveuse et craintive, si peu sûre de vous... alors que vous savez vous montrer tellement déterminée. Vraiment, Louise, je ne sais que penser de vous !

— Parfois, moi non plus, avoua-t-elle avec un petit rire.

— La commande d'Ambre a beaucoup d'importance pour vous, n'est-ce pas ?

— En effet, c'est ma première.

— Vraiment ? D'après Edgar, j'avais cru comprendre que...

— Oh, il s'emploie à donner une image flatteuse de moi. Il est très gentil. Il vante à ma place des choses dont je n'oserais même pas parler.

— Cela ne m'étonne pas que vous l'aimiez, conclut Roland.

Louise ne répondit pas. Le vent la glaça brusquement et elle déclara en frissonnant :

— Il fait plus froid que je n'aurais cru. Il vaut mieux que je rentre.

Roland lui emboîta le pas et ils regagnèrent le château en silence. Là, il lui offrit de prendre un verre avant de monter se coucher.

— Cela vous aidera à trouver le sommeil.

Comme elle ne voyait aucun prétexte pour refuser, elle le suivit dans le salon.

Ils parlèrent un moment de la facilité avec laquelle le général avait accepté la proposition d'Edgar. Il lui permettait d'emporter tous ses tableaux pour les nettoyer et les tendre. La substitution des originaux aux copies ne posait plus aucun problème. Louise bâilla soudain.

— Il est temps que je gagne ma chambre, déclarat-elle.

— Je vais me resservir un verre, annonça son compagnon.

Elle se leva et lui dit :

— Bonne nuit, Roland.

Se levant aussi, il posa ses mains sur ses épaules et plongeant son regard dans le sien, il lui murmura avec une émouvante douceur :

— Sachez que je n'oublierai jamais ce que vous avez fait pour moi.

Des larmes incontrôlables envahirent les yeux de Louise.

— Je n'ai... rien fait.

Il effleura brièvement ses lèvres et sourit :

— Ah, s'il n'y avait pas Edgar !

Il la poussa gentiment vers la porte.

— Allez dormir.

Louise sortit en songeant avec tristesse : « Et s'il n'y avait pas Ambre ! »

10

Depuis son retour de France, Louise travaillait avec acharnement. Lorsqu'elle reçut l'invitation, elle n'en prit connaissance que le soir. Elle était tellement impatiente de finir un portrait qu'elle n'ouvrit pas son courrier avant. Grâce à l'exposition d'Edgar, et à Ambre, qui avait chanté ses louanges partout, elle ne manquait pas de commandes.

Elle avait pu déménager et s'installer dans un vrai atelier qui communiquait avec un appartement. Elle se sentait « arrivée ». Edgar ne s'était pas trompé en envisageant sa carrière avec optimisme.

Ses occupations avaient en outre l'immense mérite de l'empêcher de penser. Elle ne pouvait hélas pas rester jour et nuit devant son chevalet. Dès qu'elle s'arrêtait, et spécialement le soir, des souvenirs de son séjour en France venaient la hanter.

Vers la fin, tout s'était précipité. Dès qu'il avait reçu l'accord du général pour prendre en charge les tableaux, Edgar avait agi vite, ne voulant pas lui donner la possibilité de changer d'avis. Louise ne put s'empêcher de sourire en se rappelant la ruse de son ami. Il lui avait raconté ensuite comment le général s'était laissé convaincre :

— Je lui ai dit que je connaissais un excellent restaurateur à Paris et que, pour lui éviter les soucis du transport, j'allais y veiller personnellement. Il m'a d'abord paru réticent, mais quand je lui ai expliqué qu'on risquait de critiquer sa collection à cause d'un entretien imparfait, il a cédé. Grâce au ciel !

Edgar avait éclaté de rire en relatant cette entrevue.

— Il est fier comme un paon. Il tient absolument à passer pour un collectionneur hors pair !

Quand Louise avait parlé des copies, Edgar s'était montré intransigeant :

— Il faudra les détruire. C'est à cette seule condition que j'accepte de jouer mon rôle. Leur existence peut présenter un nouveau risque dans le futur.

— Pauvre Henri ! Il aura tant travaillé pour rien ! s'était exclamé Louise.

Roland l'avait rassurée :

— Henri sait depuis longtemps que cela doit arriver un jour ou l'autre.

L'affaire n'en restait pas moins délicate à mener à bien. Comment procéder à la substitution en toute discrétion ? Pleinement impliqué dans la machination, Edgar avait fourni la solution. L'un de ses amis possédait un studio à Paris.

— S'il n'y est pas en ce moment, je vais lui demander de me le prêter.

La chance étant de leur côté, l'ami en question avait volontiers mis son studio à la disposition d'Edgar.

Par bonheur, les tableaux sortis de leurs cadres tenaient dans une seule grosse valise et il suffit d'un peu de ruse pour les faire passer de leur cachette à la voiture d'Edgar. Parallèlement, une camionnette spéciale vint chercher les copies chez le général sous sa surveillance. Edgar se rendit à Paris avec Henri qui devait l'aider à procéder à la substitution. L'ancien domestique de Sir Peter prit part au voyage en prétextant la nécessité de consulter un ophtalmologiste de la capitale.

La camionnette partit en même temps qu'Edgar accompagné de Henri. Louise suivit au volant de son

144

propre véhicule. La jeune fille ne pouvait se souvenir du moment des adieux sans un pincement au cœur.

— Nous avons été très heureux de vous avoir avec nous, avait affirmé Ambre en l'embrassant avec une sincère affection. Il faudra que vous reveniez… à titre d'amie uniquement, cette fois. Nous nous entendons si bien.

Louise avait promis de répondre à cette invitation, mais en voyant Ambre et Roland côte à côte, avec les enfants autour d'eux, elle s'était juré de ne jamais reprendre le chemin du château. Ce spectacle lui causait une trop grande douleur.

Quitter les enfants la peina aussi. Elle s'était habituée à eux et se surprit à envier Philippa qui restait à leur service.

Le plus difficile avait été de se séparer de Roland. Elle aurait aimé pouvoir disparaître sans le saluer. Ayant soigneusement évité un tête-à-tête, elle lui adressa devant tout le monde un « au revoir » très conventionnel.

Il s'était tout de même emparé de ses deux mains et l'avait embrassée sur la joue en murmurant :

— Merci, pour tout, Louise… Je vous souhaite beaucoup de bonheur et j'espère que vous ne garderez pas un trop mauvais souvenir de moi.

Les yeux pleins de larmes, elle avait répliqué d'une voix tremblante :

— Au revoir, Roland. Vous… vous ne me laissez pas un mauvais souvenir. Je vous souhaite aussi d'être heureux.

En parlant, elle avait regardé Ambre qui s'entretenait à ce moment-là avec Edgar et ne s'occupait pas d'eux.

Roland avait encore déposé un baiser sur son front en déclarant :

— Et ne vous inquiétez pas, vous serez payée pour les portraits !

Rencontrant son regard taquin, Louise avait bien

failli se mettre à pleurer pour de bon. En choisissant cet instant pour lui offrir un bouquet de fleurs, la petite Angela lui permit de se ressaisir.

Quelques minutes plus tard, elle s'était engagée dans l'allée derrière Edgar, et les habitants du château avaient agité la main en signe d'adieu.

A Paris, Edgar s'était installé dans le studio de son ami, tandis que Louise et Henri logeaient à l'hôtel.

Après avoir procédé à la substitution des tableaux, Edgar leur apporta les soins qu'ils nécessitaient, puis il invita Louise à un dîner au champagne. Ils fêtèrent ensemble le succès de sa première commande, mais le cœur n'y était pas, ni pour l'un ni pour l'autre. Sans doute Edgar était-il bouleversé malgré lui par le rôle qu'il avait joué dans une affaire de faux tableaux, supposa Louise pour s'expliquer son attitude distraite.

En tout cas, il ne lui avait plus parlé de mariage. Il acceptait enfin de se contenter de son amitié.

Dans les semainess qui suivirent son retour en Angleterre, Louise ajouta les dernières touches aux portraits des enfants et de Sir Peter. Une fois son travail terminé, elle ne put s'empêcher d'éprouver des doutes.

— Une grande carrière vous attend, lui avait pourtant certifié Edgar. Vous ne savez pas seulement peindre des enfants pour faire plaisir à leur maman. La manière dont vous avez représenté Sir Peter prouve que vous allez beaucoup plus loin.

La réaction d'Ambre avait achevé de la rassurer. Venue passer un mois à Londres, elle s'était montrée enchantée.

Louise la rencontra à deux reprises à la galerie et elle eut l'occasion de déjeuner en sa compagnie et en celle d'Edgar. Quant à Roland, elle ne le revit pas. Selon les dires d'Ambre, le domaine des Ormeaux lui donnait beaucoup de travail.

— Vous viendrez pour les vendanges, ainsi que pour les cérémonies en mémoire de Peter, avait joyeusement décrété Ambre, n'imaginant même pas un refus de la part de Louise.

Des semaines plus tard, celle-ci n'avait pourtant pas encore réussi à prendre de décision. Avec le temps, son séjour en France sombrait dans le monde irréel du souvenir. Seul Roland continuait à hanter son esprit, et elle regrettait de ne pas posséder un dessin de lui. Au château, elle avait détruit son unique esquisse et de mémoire, elle n'arrivait à rien.

Ayant fini de ranger son atelier, Louise gagna son appartement et ouvrit enfin son courrier. Elle tourna et retourna entre ses doigts l'enveloppe en beau papier épais qui portait le tampon du village des Deux Croix. Il s'agissait à coup sûr d'une invitation. Concernait-elle le mariage d'Ambre et de Roland ? A cette idée, le cœur de Louise se serra.

Quand elle se résolut à déchirer l'enveloppe, elle y découvrit bien une invitation. Elle émanait de la mairie des Deux Croix et se rapportait aux manifestations organisées en l'honneur de Sir Peter.

— Je ne peux pas y aller, murmura Louise pour elle-même en enfouissant son visage dans ses mains. Il sera là... avec elle... Je ne peux pas.

Le téléphone sonna à cet instant.

— Avez-vous reçu votre invitation ? demanda Edgar dès qu'elle décrocha.

— Oui, je viens d'en prendre connaissance. J'ai travaillé jusqu'à maintenant.

— Moi aussi... Nous ferons le voyage ensemble, évidemment.

Edgar paraissait enthousiasmé par la perspective d'un retour dans la vallée de la Loire.

Louise se rendit compte qu'elle n'échapperait pas à cette épreuve. Il s'acharnerait à réduire à néant tous ses prétextes pour ne pas partir, et elle ne voulait absolument pas lui laisser découvrir la vérité. Il avait déjà failli deviner ses sentiments une fois ou deux lors de leurs conversations au château. Dans la soirée, Louise chercha à se rassurer en se disant que la fête organisée pour Sir Peter allait réunir des centaines de personnes. La lettre d'accompagnement d'Ambre la tourmentait cependant. La jeune femme lui proposait de rester quelque temps en France. Louise ne savait pas si elle devait s'en affoler ou s'en réjouir. La pensée de revoir Roland l'emplissait malgré elle d'allégresse.

Pendant les cérémonies, Louise ne put se fondre dans la foule comme elle l'avait espéré. Etant l'artiste qui avait exécuté le portrait de Sir Peter Winterhaven, elle fut placée parmi les invités d'honneur, à côté d'Ambre, de Roland, des enfants et des personnages importants.

La journée se déroula d'une façon très émouvante, et Louise surprit souvent Ambre effaçant des larmes au coin de ses yeux. Elle n'en fut que plus heureuse de lui avoir épargné la découverte du tour que son mari avait joué au général. Elle croisa le regard de Roland et comprit que lui aussi se félicitait d'avoir évité le scandale.

De retour au château, Louise monta l'escalier avec Ambre. La jeune femme, plus pâle que d'habitude, déclara d'une voix faible :

— Je vais encore avoir une migraine.

— Puis-je faire quelque chose pour vous ? offrit Louise du fond du cœur.

Ambre la considéra d'un air étrange, légèrement inquiet.

— Non… mais j'aimerais que vous veniez me rejoindre quand vous vous serez changée. Je voudrais vous parler… en privé.

Elle semblait très mal à l'aise, et son comportement intrigua vivement Louise.

Heureuse de retrouver sa chambre, même pour quelques jours, elle se posta à la fenêtre pour contempler le paysage avec nostalgie. Elle n'avait vécu ici que peu de temps et néanmoins, une partie d'elle-même restait prisonnière de ces lieux. Tandis qu'elle laissait errer songeusement son regard, une silhouette passa

148

dans son champ de vision. Roland se promenait seul autour du lac, les mains derrière le dos. Il semblait désolé. Pourquoi ? se demanda Louise. Elle souffrait pour lui. Hélas, que pouvait-elle faire ? Le problème des tableaux était réglé. Pourquoi Roland se tourmentait-il à présent ? Lorsqu'il se retourna, il aperçut la jeune fille et agita la main vers elle. Elle crut que son cœur allait se briser. Ses sentiments pour lui n'avaient absolument pas changé.

Faisant un effort sur elle-même, elle se rendit quelques instants plus tard chez Ambre. Celle-ci était allongée sur son lit, dans la pénombre.

— Venez, Louise. J'ai simplement besoin d'un peu de repos. Ma migraine n'est pas aussi violente que je le craignais.

S'installant sur une chaise auprès d'elle, Louise déclara :

— C'était une très belle cérémonie.

— Oui, n'est-ce pas ? approuva Ambre avec un sourire et soudain, toute son émotion explosa : Vous ne pouvez pas savoir combien je suis soulagée, maintenant que tout est fini ! Ces derniers mois ont été très éprouvants. A présent, je suis enfin libre...

Comme Louise gardait le silence, elle poursuivit :

— J'étais si heureuse et si triste en même temps aujourd'hui. On n'oubliera jamais Peter, Louise, et surtout grâce à vous. Quand j'ai vu son portrait à la mairie, j'ai eu l'impression qu'il était vraiment là. C'est extraordinaire. Vous ne l'avez pas connu et vous l'avez peint exactement comme il était.

Louise accueillit ces compliments avec plaisir, mais elle se montra réservée. Elle préférait ne pas trop s'étendre sur ce sujet.

— Ambre, vous aviez quelque chose à me dire... glissa-t-elle.

Une expression anxieuse se peignit de nouveau sur le visage de la jeune femme et elle détourna les yeux.

— Oui... je voulais que vous soyez la première à

savoir, Louise… Il ne faudrait pas que vous appreniez la nouvelle par quelqu'un d'autre et que vous receviez un choc.

— Un choc ! s'écria Louise, pleine d'appréhension.

Ambre tortillait un coin de son drap entre ses doigts.

— Maintenant, je me sens le droit de commencer une nouvelle vie, expliqua-t-elle.

— Mais bien sûr, accorda la jeune fille, ne comprenant toujours pas en quoi la nouvelle d'Ambre risquait de la bouleverser.

Celle-ci lui prit la main en hésitant et la serra.

— Louise, j'espère que vous me pardonnerez. Je n'avais pas prévu que les événements prendraient cette tournure, mais c'est plus fort que moi… J'ai peur de vous faire souffrir, bien qu'Edgar m'ait assuré que…

— Edgar ! répéta Louise, de plus en plus étonnée.

Ambre paraissait extrêmement embarrassée.

— Oui, Edgar. Nous nous sommes beaucoup vus pendant mon séjour à Londres et nous… nous nous sommes épris l'un de l'autre… Nous allons nous marier.

Elle considéra son interlocutrice d'un air navré.

— Je suis désolée, Louise. Je vous avouerai que nos sentiments sont nés ici lorsqu'il est venu, mais il nous a fallu un peu de temps pour comprendre ce qui nous arrivait. Comment me faire pardonner ? Edgar vous appartenait.

Retrouvant enfin sa voix, Louise s'empressa de la tranquilliser :

— Il n'y a jamais eu d'engagement entre Edgar et moi. Il m'a plusieurs fois demandée en mariage, c'est vrai, mais nous savions tous les deux que ce n'était pas sérieux.

Un sourire radieux illumina le visage d'Ambre.

— Je vous le jure, affirma Louise pour la rassurer totalement. Et je vous souhaite beaucoup de bonheur.

Tandis qu'elle parlait, les idées les plus folles se bousculaient dans son esprit. Que devenait Roland dans cette affaire ? Voilà sans doute pourquoi elle

150

l'avait vu errer dans le parc comme une âme en peine. Ambre lui avait préféré Edgar.

La jeune femme remarqua avec une certaine nostalgie :

— J'aurai du mal à quitter le château, mais j'en partirai pour être heureuse. Quant à Roland, il faut qu'il fasse sa vie aussi. J'espère qu'il ne tardera pas à se marier à son tour.

Louise l'imaginait déjà se consolant de la perte d'Ambre avec Chantal d'Arbrisseau.

Les deux femmes bavardèrent encore un moment, puis Louise retourna dans sa chambre afin de finir de se préparer pour le dîner. Elle avait mis sa robe rouge et, pendant qu'elle se maquillait, ses pensées revenaient sans cesse à Roland.

Après tout ce qu'il avait fait pour Ambre, celle-ci l'abandonnait. Il fallait toutefois reconnaître qu'elle s'accordait parfaitement avec Edgar. Louise s'étonna de ne pas s'en être aperçue plus tôt.

Lorsqu'elle descendit dans le salon, Roland s'y trouvait déjà. Il se tenait près de la cheminée, l'air tourmenté. Levant la tête, il la salua d'un sourire forcé.

— Bonsoir, Louise.

— Bonsoir, Roland.

— N'êtes-vous pas trop fatiguée après cette longue journée ?

— Non, pas du tout. Et Ambre se sent mieux, elle dînera avec nous.

Se forçant à aborder le sujet, Louise ajouta, le plus naturellement possible :

— Elle m'a annoncé son mariage.

— Ma pauvre Louise, je suis désolé pour vous, affirma Roland en l'enveloppant d'un regard plein de compassion.

Ne pouvant plus laisser le malentendu se prolonger, Louise expliqua :

— Vous n'avez aucune raison de me plaindre. Je suis ravie.

Ces paroles amenèrent une vive expression de stupéfaction sur les traits de son interlocuteur.

— Il n'y a jamais rien eu entre Edgar et moi, assurat-elle énergiquement.

— Mais je croyais... Vous donniez l'impression de...

— Vous avez tiré des conclusions trop hâtives, soutint Louise. Jamais je n'ai été amoureuse d'Edgar. Il me demandait de l'épouser sur le mode de la plaisanterie.

— Et pourtant, votre attitude m'a conduit à penser que...

Dérouté, Roland passa la main dans sa chevelure sombre.

— Pendant toute la journée, je vous ai trouvée si triste. Je supposais que vous étiez déjà au courant. Je me faisais du souci pour vous.

Touchée par cette marque d'affection, Louise avoua elle aussi l'inquiétude qu'il lui inspirait. Obéissant à une impulsion, elle déclara :

— Je comprends ce que vous ressentez, Roland. Vous devez être très déçu.

Elle s'interrompit, ne sachant comment exprimer sa pitié.

Roland parut encore plus surpris qu'auparavant.

— Déçu ? Mais je suis enchanté ! Ambre ne pouvait pas continuer à vivre seule, et Edgar est exactement l'homme qu'il lui faut.

A son tour, Louise éprouva une profonde consternation.

— Mais Roland, n'aviez-vous pas l'intention de l'épouser ? Tout le monde en semblait convaincu.

Un sourire illumina son visage.

— Ah, les commérages ! Si j'aimais Ambre, pensezvous que j'aurais supporté de la voir vivre durant des années avec Peter sous mes yeux ?

— Cela arrive, hasarda Louise.

— Vous me connaissez bien mal ! lança-t-il avec force. J'ai beaucoup d'affection pour Ambre, un point c'est tout. De son côté, elle ne ressent rien de plus pour moi. Parfois certes, il nous est arrivé de plaisanter à propos de mariage, un peu comme Edgar et vous.

— J'avais pourtant cru comprendre que Sir Peter lui-même approuvait votre union.

Louise s'interrompit, confuse. Elle se rappelait soudain qu'elle l'avait appris en espionnant Ambre et Roland.

Il haussa les sourcils.

— Quand avez-vous entendu une chose pareille ? Le soir de la réception chez le général ?

Elle acquiesça.

— Ambre était très énervée ce jour-là, et elle est venue chercher du réconfort auprès de moi. Maintenant je sais pourquoi elle se trouvait dans cet état. Elle commençait à prendre conscience de ses sentiments pour Edgar et elle se sentait un peu perdue. Comme Peter avait évoqué la possibilité d'un mariage entre nous, s'il venait à disparaître, nous en avons parlé. L'amour n'obéit cependant qu'à ses propres lois.

Changeant brusquement d'expression, Roland scruta avec attention le visage de Louise.

— Mais vous, pourquoi avez-vous l'air si malheureuse alors que le mariage d'Ambre et d'Edgar ne vous cause aucune peine ?

— Et vous ? contre-attaqua Louise tandis qu'une rougeur cuisante envahissait ses joues.

— Parce que celle que je rêve d'épouser ne veut pas de moi, déclara Roland en détachant bien ses mots.

Il s'agissait sûrement de Chantal, songea Louise. Maintenant qu'elle avait réussi à attirer Roland dans ses filets, elle prenait plaisir à se faire prier. Comment avait-il pu s'éprendre d'une personne aussi superficielle ? Elle était très belle, certes, mais...

— L'avez-vous déjà demandée en mariage ? questionna Louise de son ton le plus ferme.

— Non, pas encore.

— Eh bien, qu'attendez-vous ? Je suppose qu'elle guette avec impatience le moment où vous le ferez.

A la grande surprise de la jeune fille, Roland s'approcha d'elle et la prit dans ses bras. Ses yeux gris plongèrent tout au fond des siens et un petit muscle tressaillant au coin de sa bouche trahit son trouble.

— Voulez-vous m'épouser, Louise ?

Elle eut l'impression que son cœur s'arrêtait de battre. Il plaisantait. Le contraire était inimaginable. Et cependant, une flamme passionnée brillait dans son regard, lui adressant un message plus éloquent que toutes les paroles. Elle ne parvenait pas à y croire.

— Moi ? murmura-t-elle d'une voix défaillante.

— Vous, ma chérie. La plus exquise, la plus désirable. Je n'en épouserai aucune autre.

Elle put seulement balbutier :

— Oui... oh, Roland... oui !

Il l'empêcha d'en dire davantage. La serrant plus étroitement contre lui, il s'empara de sa bouche et l'intensité de leurs émotions balaya tout durant quelques instants.

— Louise... Louise... Je vous aime !

— Je vous aime aussi, Roland, répondit-elle en cherchant son souffle.

Leurs lèvres s'unirent de nouveau, et le monde cessa d'exister pour eux pendant un long moment. Ils ne revinrent à la réalité que lorsque la porte s'ouvrit. Immobiles sur le seuil, Ambre et Edgar arboraient des mines stupéfaites.

Après une minute de silence absolu, Roland lança avec un large sourire :

— Entrez, entrez... Ne restez pas là à nous regarder comme des bêtes curieuses ! Nous avons quelque chose d'important à vous annoncer, Louise et moi.

Impétueuse, Ambre précéda Edgar et jeta un coup d'œil incrédule à Roland, puis à Louise.

— Vous ne voulez pas dire que... Si, justement !

154

Elle les prit tous les deux par les épaules.

— C'est merveilleux ! Vous vous aimez ?

— Et nous allons nous marier, compléta Roland.

— Je me doutais bien qu'il se passait quelque chose avec Louise ces derniers temps, glissa Edgar, l'air malicieux.

— Moi je pensais qu'elle souffrait à cause de nous ! expliqua Ambre. Vous aussi Roland, n'est-ce pas ?

Intervenant à son tour, Louise déclara :

— Et moi, je croyais que Roland allait vous épouser, Ambre !

La jeune femme éclata de rire et déposa un baiser affectueux sur la joue de son amie.

— Comme nous avons été aveugles ! Je suis tellement contente que tout se termine bien. Je ne pouvais pas rêver d'une meilleure épouse que vous pour Roland.

Elle lui décocha un regard faussement menaçant.

— Louise saura veiller à ce que vous ne commettiez plus de folies !

Il considéra la jeune fille d'une manière très tendre en resserrant son bras autour de sa taille.

— Je le sais… je ne le sais même que trop bien ! répliqua-t-il pour la taquiner.

— J'espère que ce n'est pas la fin de votre carrière, Louise ? s'enquit Edgar.

Elle leva des yeux interrogateurs vers Roland. L'expression taquine s'accentua sur son visage.

— Certainement pas, répondit-il à sa place. Je suis sûr qu'elle ne manquera pas d'enfants à peindre !

Tandis qu'elle s'empourprait, les autres accueillirent cette réplique avec des rires joyeux, puis Ambre décréta :

— Il nous faut du champagne, beaucoup de champagne ! Ce n'est pas un jour comme les autres.

Elle embrassa encore Louise et Roland avant de revenir vers Edgar et de se blottir contre lui.

Louise restait immobile, parfaitement heureuse dans les bras de l'homme qu'elle aimait. Oui, approuva-t-elle, il ne s'agissait pas d'un jour comme les autres. C'était le plus beau jour de sa vie.

L'AMOUR...
COMME SI VOUS Y ETIEZ!

L'amour est un pays mystérieux, dont vous rêvez souvent, un pays où vos désirs les plus fous se réalisent. Et grâce à HARLEQUIN ROMANTIQUE, vous ferez la découverte du voyage qui vous transportera au cœur même du mystère de la vie... en rose!

Pour faire voyager
votre esprit
et vagabonder
votre imagination,
Lisez

Harlequin Romantique

la grande aventure de l'amour!

Voici une occasion unique de découvrir les livres que vous avez manqués jusqu'ici.
Choisissez parmi les titres suivants...

*Dans chaque roman
HARLEQUIN, une belle
histoire d'amour…*

Postez-nous vite ce coupon-réponse!

Harlequin Romantique

**649 Ontario Street
Stratford (Ontario) N5A 6W2**

OUI, veuillez m'envoyer les volumes HARLEQUIN
ROMANTIQUE que j'ai cochés ci-dessous. Je joins un chèque
ou mandat-poste de $1.75 par volume commandé, plus 75¢ de
port et de manutention pour l'ensemble de ma commande.

☐ 5	☐ 13	☐ 21
☐ 6	☐ 14	☐ 22
☐ 7	☐ 15	☐ 23
☐ 8	☐ 16	☐ 24

Nombre de volumes, à $1.75 chacun: $_____

.75

Frais de port et de manutention: $_____

Total: $_____

Envoyer un chèque ou mandat-poste pour le TOTAL ci-dessus.
Tout envoi en espèces est vivement déconseillé, et nous
déclinons toute responsabilité en cas de perte ou de vol.

NOM _____ (EN MAJUSCULES. S.V.P.)

ADRESSE _____ APP. _____

VILLE _____ PROVINCE _____ CODE POSTAL

Nos prix peuvent être modifiés sans préavis.
Offre valable jusqu'au 30 avril 1983.

2105600000